O Gricieth i Kathmandu

o Gricieth i Kathmandu

Atgofion llawfeddyg o Lŷn

BOB OWEN

Argraffiad cyntaf: 2015

Cynllun y clawr: Y Lolfa

Rhif Llyfr Rhyngwladol: 978 1 78461 181 1

Cyhoeddwyd ac argraffwyd yng Nghymru gan
Y Lolfa Cyf., Talybont, Ceredigion SY24 5HE
gwefan www.ylolfa.com
e-bost ylolfa@ylolfa.com
ffôn 01970 832 304
ffacs 832 782

Rhagair

Mae'n anrhydedd i mi gael ysgrifennu rhagair i hunangofiant cyfaill gwerthfawr a ffyddlon, yr Athro Robert Owen.

O'i blentyndod ar fferm hyd at gyrraedd uchafbwynt y proffesiwn meddygol, mae'r hanes yma'n dyst i fywyd wedi'i fyw yn wirioneddol lawn. Daw'r awdur o deulu o ffermwyr ac mae ei gymeriad yn adlewyrchu gwerthoedd y fath gefndir: dyfalbarhad, cadernid, hiwmor a gofal am bobl eraill.

Ar ôl ennill cymwysterau yn Ysbyty Guy's a gwasanaethu yn yr Awyrlu Brenhinol, fe benderfynodd Bob Owen ar yrfa mewn orthopedeg. Bu'n gwasanaethu yn y maes hwnnw gydag anrhydedd ac mae ei etifeddiaeth i'w gweld yn y nifer o'i ddisgyblion sy'n parhau gyda'r gwaith yma ym mhedwar ban byd.

Yng ngogledd Cymru yn nechrau'r 1950au fe sefydlwyd pwyllgor rheoli ysbytai Clwyd a Glannau Dyfrdwy, a phenodwyd y llawfeddyg ymgynghorol Robert Owen i fod yn gyfrifol am wasanaethau orthopedig yn ei ardal.

Cafodd ei berswadio i ddychwelyd i'r byd academaidd yn Lerpwl, lle cyhoeddodd nifer o bapurau ac ysgrifennu gwaith safonol ar lawdriniaethau orthopedig. Roedd ganddo ddiddordeb penodol mewn anableddau plant, ac fe barhaodd i ddilyn y diddordeb yma tu allan i derfynau'r ysbyty, a chymryd rhan mewn sefydlu Canolfan Farchogaeth Arbennig Clwyd.

Mae'n demtasiwn i mi sôn am y gwahanol bethau y mae wedi'u cyflawni, ond bydd y darllenwyr yn cael darganfod y rheiny eu hunain. Rhaid i mi sôn am ei waith yn Affrica a Nepal, lle daeth â chysur i lefydd lle'r oedd gwasanaethau meddygol yn gyntefig neu ddim ar gael o gwbl.

Yn y 1990au fe wnaeth yn siŵr bod llefydd aros ar gael i berthnasau agos cleifion oedd yn ddifrifol wael yn Ysbyty'r Galon a'r Frest yn Broadgreen, Lerpwl. Trwy ddefnyddio ei benderfyniad, ei ffordd enillgar a'i allu i berswadio, fe gododd arian fel gwaddol i Robert Owen House ar dir yr ysbyty, lle gall perthnasau pryderus fod yn agos at eu hanwyliaid.

Mae'r awdur yn Gymro brwdfrydig sy'n ymddiddori'n fawr yn hanes, llenyddiaeth a diwylliant ei wlad. Mae'n ymwneud â llawer o gymdeithasau, yn rhai proffesiynol ac o ddiddordeb cyffredinol.

Bydd pob dyn yn byw yn ôl rhyw egwyddorion neu reolau sy'n ffurfio ei gymeriad. Mae'r llyfr yma'n hanes cyfareddol dyn diymhongar sydd wedi cyfrannu cymaint at gymdeithas. Pe bai ef yn dewis arwyddair, rwyf yn credu mai sylw Cicero fyddai'r un mwyaf priodol: *Salus populi suprema lex esto* (Gadewch i les y bobl fod y rheol bwysicaf).

Dr Edward Davies

Rhagymadrodd

DAETH CYNNWYS Y gyfrol hon i fod oherwydd pwysau gan fy nheulu a'm cyfeillion i gofnodi hanes bywyd yr hen 'Daid'. Roeddwn i'n amharod i ymgymryd â'r gwaith, gan fod hunangofiannau'n aml, yn fy marn i, yn ddogfennau llawn hunanfawrhad a hanner gwir. Er hynny, rwyf wedi cael fy mherswadio! Gobeithio y bydd fy hanes yn un mor onest ag y bo modd. Mae'n sôn am y blynyddoedd cyn ac ar ôl yr Ail Ryfel Byd, gan adlewyrchu'r newidiadau anferth mewn gwerthoedd ac agweddau sydd wedi newid ein bywydau, a newid cymdeithas yn gyffredinol.

Rwyf wedi perswadio fy mrawd Bill i ysgrifennu'r bennod gyntaf am ein plentyndod. Mae rhai atgofion yn aneglur, rwyf yn cyfaddef, a rhai yn ddisglair iawn yn y cof. Efallai bydd gan rai darllenwyr fwy o ddiddordeb yn yr agweddau diweddarach o gyfrifoldeb teuluol, ymdrechion gyrfa a theithio'r byd. Ond rwyf yn gobeithio y bydd y rhan fwyaf o bobl yn cael o leiaf mymryn o foddhad wrth fodio'r tudalennau.

Rwyf yn cyflwyno'r hanes yma i Meg a fy nheulu agos; hefyd i fy nghymdeithion sydd wedi fy annog ymlaen a bod gyda mi ar y daith.

I symud oddi wrth ffurf arferol bywgraffiadau, mae tri chyd-weithiwr, sef John Gruffydd Jones, Wil

Roberts a David Jones, wedi ysgrifennu sylwadau, da neu ddrwg, ar fy mywyd i'r graddau y mae wedi cyffwrdd ar eu bywydau nhw.

Mae arnaf ddyled fawr o ddiolchgarwch i Dr Edward Davies am ei ragair a'i gefnogaeth. Hefyd i'r un fu mor ffyddlon yn ysgrifennu ar fy nghyfer, Janine Owen, am roi fy meddyliau ar bapur o'r diwedd. Rwyf eisiau diolch hefyd i John Gruffydd Jones, Dafydd Llewelyn Jones ac Alun Jones am oruchwylio'r testun ac i Arwel Vittle am y cyfieithiad. Ac yn olaf, ond yn sicr ddim yn lleiaf, rwyf yn talu teyrnged i fy nghyhoeddwyr, Y Lolfa, am annog, am dywys ac am eu hamynedd wrth gefnogi'r fenter yma.

Robert Owen
Awst 2015

Cynnwys

1

Atgofion Bill, yng nghwmni Bob

MAE HI'N FRAINT ac yn bleser i mi gael y cyfle i gofnodi rhai o atgofion fy mhlentyndod yn y gyfrol hon. Fodd bynnag, nid ydynt wedi eu cofnodi yn nhrefn amser ac fe ymddiheuraf am hynny.

Yr ail o bedwar plentyn fferm Glanllynnau, Llanystumdwy oeddwn i, William (Bill) Hughes Owen. Robert (Bob) oedd yr hynaf a'r arweinydd a dueddai i gael y bai pan fyddem ni i gyd yn cambihafio! Y nesaf o'r plant oedd ein chwaer Elizabeth, tomboi naturiol, ac yna Gruff, y babi. Mi gawsom hwyl garw yn tyfu mewn ardal wledig, yn blantos bach gwyllt, ffodus iawn...

Dyma rai o'r anturiaethau cynnar hynny a ddaeth i'n rhan. Cofiaf Bob yn cael ei hyrddio mewn hanner casgen bren ar lyn o dail oedd wedi rhewi. Yn anffodus, craciodd wyneb y llyn ond mi achubwyd Bob gyda choes ysgub. Roedd o'n dail o'i gorun i'w sawdl! Doedd Nhad ddim yn gweld y peth yn ddoniol, coeliwch chi fi.

Un difyrrwch pan oeddem yn blant oedd marchogaeth y moch yn y twlc, fel rhyw fath o *rodeo*!

Ond pan fyddai Nhad yn ein gweld byddai Bob yn teimlo blas y sliper wedyn am mai fo oedd wedi ein harwain ar gyfeiliorn. Byddem yn marchogaeth y ddwy ferlen a oedd yn ffefrynnau gennym ni blant, heb gyfrwy wrth gwrs, ac o ganlyniad byddem yn syrthio ambell waith. Bet ein chwaer oedd tywysoges yr Indiaid Cochion bob tro.

Roeddem yn ystyried ein hunain yn helwyr ac yn dal cwningod gyda'n ffuredau gorau. Yn y dyddiau hynny cyn i'r micsomatosis ddifa cynifer o gwningod, roedd pastai cwningen yn dderbyniol iawn. Un tro, pan oeddwn i'n dychwelyd adref ar gefn fy meic ar ôl bod yn prynu ffured newydd, neidiodd llo ifanc i'm llwybr. Cefais fy hyrddio i'r awyr a glanio'n egr iawn ar y ffordd. Roedd gwaed ym mhobman. Aeth Bob â fi ar wib i weld y doctor. Cewch yr hanes gan Bob yn nes ymlaen.

Fel holl ffermwyr yr ardal, roedd ein rhieni'n garedig iawn tuag at y crwydriaid fyddai'n galw heibio er mwyn cael lloches dros nos yn yr ysgubor, neu baned o de yn eu *billycan.* Pan fyddent yn aros acw dros nos, byddai Nhad yn cymryd eu bocs matsys rhag ofn iddynt roi'r das wair ar dân yn ddamweiniol. Byddai Mam yn paratoi brechdanau iddynt cyn ffarwelio â nhw yn y bore.

Un crwydryn sy'n aros yn y cof yw'r hen John Price. Roedd ganddo arferiad go ryfedd. Pan fyddai'n mynd heibio i ni blant, byddai'n pigo llau o'i wallt a'u cnoi'n awchus. Mae'n rhaid eu bod nhw'n flasus iawn! Roedd arnom ni ychydig bach o'i ofn, yn enwedig ar ôl iddo roi tas wair un o'n cymdogion ar dân am na chafodd lety yno.

Ar fferm Ysgubor Hen gerllaw roedd rhieni Mair, ein cyfnither, yn hynod hael tuag at y crwydriaid hyn. Roedden nhw'n credu ei bod hi'n gyfrifoldeb arnynt i ofalu am rai llai ffodus na nhw. Byddai Mair yn chwarae gyda ni'n pedwar yn aml iawn ac yn dod i Ysgol Sul Capel Engedi gyda ni hefyd.

Un peth roedd yn rhaid i ni ei wneud cyn mynd i'r ysgol yn y bore oedd dod â'r gwartheg godro o'r gweirgloddiau. Yn eu tymor byddai'n rhaid inni hel madarch i frecwast hefyd. Ar ôl i ni ddod i mewn i'r tŷ un bore ym 1939, dywedodd Mam eu bod nhw wedi datgan bod yr Ail Ryfel Byd wedi dechrau. Mi newidiodd hyn ein bywydau ifanc yn llwyr.

Cawsom ein haddysg gynnar yn Ysgol Genedlaethol Llanystumdwy ar lan afon Dwyfor, bron dair milltir o'r fferm. Byddem yn cerdded yno bob dydd. Atgofion amdanaf i a Bob sydd gen i o'r dyddiau ysgol hynny, am fod Bet a Gruff fymryn yn ieuengach. Perthynas ddigon cymysglyd oedd gennym gyda'r athrawon. Teimlem ryw barchedig ofn tuag atynt, yn enwedig tuag at Mr Griffiths y prifathro, a oedd yn gloff. Roedd ganddo gi blewog o'r enw Dan a oedd yn eistedd wrth ymyl ei ddesg bob amser. Pan fyddai hi wedi bod yn bwrw glaw byddai arogl go anfelys yn codi oddi ar Dan! Yn y tŷ gyferbyn â'r ysgol roedd parot a oedd yn crawcian yn barhaus gan amharu ar y gwersi. Pan oeddwn i'n hŷn cefais y fraint o fod yn gyfrifol am hel y llechi a'r pensiliau ar ddiwedd y gwersi. Roedd amser chwarae yn gyfnod gwerth chweil ac fe gaem lawer o hwyl. Byddem yn chwarae marblis, concyrs, ffwtbol ac yn rowlio i lawr y bryn gerllaw ar dir Mr Murchie, a fyddai'n rhegi arnom bob amser! Ond roedd yr hen ffermwr yn ddyn digon caredig hefyd.

Byddai Mam yn paratoi brechdanau bara ceirch inni i ginio ysgol. Doeddwn i ddim yn hoff iawn ohonyn nhw ac felly byddwn yn eu lluchio'n seremonïol dros y clawdd ar y ffordd adref! Ddeallodd hi mo hynny erioed!

Pan oeddwn i'n llencyn deg oed, eisteddais yn sedd gyrrwr ein car a gostwng y brêc llaw. Aeth y Morris Twelve ar ei ben i mewn i wal y dreif. Rai blynyddoedd yn ddiweddarach, daliodd y plismon lleol fi yn gyrru nid nepell o'r lôn fawr a bu'n rhaid i mi fynd i'r cwrt. Pan gefais fy nghyhuddo, er mawr ddifyrrwch i'r ynadon datganais yn ddiniwed y byddai Mam yn talu'r ddirwy!

Roeddem yn ystyried ein hunain yn baffwyr. Roedd y gweision oedd yn gweithio acw ac yn byw gyda ni ar y fferm wedi gwneud cylch bocsio uwchben y garej. Roedd Ridley'r gwas bach yn gryn baffiwr pwysau pry ac mi ddysgodd brif elfennau'r grefft i Bob a minnau, rhag ofn y byddem yn wynebu sefyllfa argyfyngus rhyw ddydd. A ninnau'n helwyr, ein hoff arfau oedd bwa a saeth a gwaywffyn yr oeddem wedi eu gwneud ein hunain. Byddem yn gwneud catapwlts hefyd ac yn eu defnyddio wrth gerdded i'r ysgol, gan anelu at yr ynysyddion ar ben y polion telegraff. Roedd hynny'n andros o hwyl – er ei fod yn beth drwg!

Roeddwn i'n hoff iawn o ddyfeisiau mecanyddol. Roedd gen i feic gydag un brêc a theiar fflat – bu hwnnw'n was ffyddlon i mi am flynyddoedd. Wrth iddo fynd yn hŷn doedd Nhad ddim yn rhy hoff o yrru'r car ac felly cefais fy mhenodi'n *chauffeur* ganddo pan oeddwn i tua un ar ddeg mlwydd oed. Byddai'n taro'i het ar fy mhen pan welai blismon gerllaw!

Un tro mi wnaethom geisio ysmygu pennau brwyn oedd yn ymdebygu i sigârs trwchus. Roedd y blas yn erchyll. Diolch i hynny, chawsom ni erioed awydd i ysmygu sigaréts pan oeddem yn hŷn.

Mae'r atgofion yn llifo rŵan wrth i mi ysgrifennu. Gobeithio eu bod nhw wedi codi cwr y llen a chodi awydd ar y darllenydd i glywed mwy.

Gadawaf i Bob ychwanegu at hanes ein plentyndod a llawer iawn mwy…

2

Atgofion bore oes Bob

TEULU O AMAETHWYR a morwyr oedd teulu ein taid, Robert Owen (y cefais i fy enwi ar ei ôl) – fo oedd tenant gwreiddiol fferm Glanllynnau. Roedd mab Robert, Gruff, sef Nhad, yn ystyried ei hun yn dipyn o fonheddwr, ac yn rheoli'r fferm gan ddibynnu ar griw o tua wyth o weithwyr i redeg y lle, gydag Ifan Gruffydd yn gyfrifol am y ceffylau. Roedd yn well gan Nhad ddelio â materion y Cyngor Sir a mynd i'r marchnadoedd, y marts a'r ffeiriau. Wrth wneud hynny daeth yn gyfarwydd â'r rhan fwyaf o ffermydd Llŷn ac Eifionydd. Dim ond pan briododd Hywel Richards â Bet, fy chwaer, y prynwyd y fferm gan y teulu.

Yn ddaearyddol, roedd afon Dwyfor ar y ffin â thir y fferm yn y dwyrain; Bae Ceredigion oedd y terfyn naturiol i'r de, ac roedd llynnoedd tuag at y gorllewin. Roedd rheilffordd y Cambrian yn mynd drwy ganol y fferm hefyd.

Yn ôl safonau'r oes, roedd Glanllynnau yn fferm lewyrchus a chynhyrchiol, gydag amrywiaeth o anifeiliaid yn cael eu magu arni. Gyrrid llaeth y fuches odro weddol fawr, Friesians gan amlaf, i Gricieth, Ffestiniog a'r ffatri laeth yn Rhydygwystl,

Fourcrosses (Y Ffôr erbyn hyn). Y fuches hon oedd un o'r rhai cynharaf yn yr ardal i gael ei chofrestru fel buches a gafodd brawf twbercwlin. Cedwid gwartheg stôr ac eidion ar y fferm hefyd, gwartheg duon Cymreig neu Henffordd. Roedd defaid lleol ar y tir hefyd, a defaid cadw yn ystod y gaeaf. Cedwid moch ac ieir hefyd. Tyfid cnydau gwair ac ŷd a chnydau gwraidd. Felly, rhwng popeth, er nad oedd peiriannau at bob gorchwyl, roedd digon i gadw'r gweithwyr yn brysur. Roedd y ceffyl gwaith yn hanfodol o hyd, wrth gwrs.

Nhad fyddai'n disgyblu yn ein teulu ni, er 'mod i'n amau ei fod o, yn ddistaw bach, yn falch o'r pedwar ohonom. Mam (Laura Mary) oedd y cymodwr doeth a charedig, yn amddiffyn ei thylwyth bob amser. Roedd hi hefyd yn wraig weithgar, ffyddlon a chefnogol oedd bob amser yn cadw'r ddysgl yn wastad. Mae yna ddywediad: 'Gorau un tlws, gwraig dda.' Un felly oedd Mam. Roedd hi'n wraig hardd, yn denu sylw ac yn ddeniadol iawn. Roeddem yn ei haddoli hi.

Merch fferm oedd Mam ac fe weithiai'n galed iawn i gadw tŷ, gyda dwy forwyn i'w chynorthwyo. Roedd ganddyn nhw ddigon i'w wneud yn bwydo'r gweithwyr, pobi ugain torth yr wythnos, corddi menyn, bwydo'r ieir a llawer iawn mwy. Roedd Mam yn gogyddes heb ei hail, yn fam gariadus i ni'r plant ac yn gymar triw i Nhad. Bu'n fraint cael ein magu ar aelwyd y fferm, yn ogystal â chael y cyfle i fwynhau bywyd cefn gwlad. Byddaf yn trysori'r atgofion bach megis cerdded gyda Mam drwy gae gwair newydd ei dorri i chwilio am ddail cynifer (y *four-leaved clover*) am byth.

Pan fyddem yn dioddef o ddolur gwddw, ffisig Mam fyddai 'asiffeta' (*asafoetida*) a thrwyth riwbob. Byddai hefyd yn lapio gwlanen gyda saim gŵydd arni o gwmpas ein gyddfau. Roedd yn gas gennym y feddyginiaeth honno! Mi gofiaf yr amser pan gawsom glwy'r pennau. Y feddyginiaeth bryd hynny oedd ein gyrru i'r stablau i droi tail y ceffylau er mwyn i'r amonia glirio'r tiwbiau.

Un tro, am fod gen i ddwylo bach, bu'n rhaid i mi roi cymorth i ddafad oedd yn cael trafferth i fwrw'i hoen. (Bu'n ymarfer da ar gyfer y gwaith obstetreg yn nes ymlaen!) Roedd y diwrnodau dyrnu, cneifio a dipio defaid yn hwyl garw i ni'r plant. Byddai'r cŵn defaid niferus a ddeuai ar ymweliad acw yn hela llygod mawr. Roedd gan Mot, fy nghi i, goes gam ar ôl cael ei daro gan gar. Er ei anabledd, fo fyddai ar y blaen ar achlysuron o'r fath. Roedd Mot a minnau yn feistri ar y grefft o ddal tyrchod daear hefyd. Byddai Mot yn sleifio i ben y pridd twrch daear ac ar yr union eiliad gywir byddai'n claddu ei drwyn i mewn i'r pridd cyn taflu ei ysglyfaeth i'r awyr.

Roedd Bet fy chwaer a minnau'n agos iawn. Arferem fynd am bicnic gyda'n gilydd. Cofiaf fynd i ben Moel y Gest unwaith i fwynhau ein brechdanau wrth edrych ar yr haul yn machlud i'r gorllewin y tu hwnt i Fae Ceredigion.

Roedd llawer o ddifyrrwch ein plentyndod yn

deillio o ddiddordebau Nhad. Er enghraifft, roedd o'n ddyn ceffylau mawr. Ddwywaith y flwyddyn byddai'n crwydro o amgylch gogledd Cymru gyda Dick Mostyn i brynu ceffylau gwedd a Clydesdale ar gyfer Glanllynnau. Ymhen amser byddai ugain i ddeg ar hugain ohonynt yn cael eu gwerthu i dynnu wagenni ar y rheilffyrdd neu i brynwyr o'r bragdai. Byddwn i'n cael tywys y cewri hyn i lawr y lôn er mwyn i'r prynwyr gael gweld nad oedden nhw'n dioddef o'r llyncoes, seibons neu glefyd yr asgwrn cychog (*naviculitis*). Syr Robert Vaughan, ystad Nannau, Dolgellau, fyddai'n trafod y prisiau ar gyfer gwerthu'r ceffylau hyn.

Yn ogystal â'r ceffylau a'r da byw, un arall o ddiddordebau Nhad oedd hen greiriau. Byddai'n mynychu ocsiynau a ffeiriau yn rheolaidd ac yna'n rhoi'r pethau roedd o wedi eu prynu i Mam a'r morynion eu harddangos yn y tŷ. Ei gariad arall oedd cerddoriaeth. Roedd ganddo lais bas dwfn a glywid mewn aml i eisteddfod ac yng Nghapel Engedi, gan ei fod yn godwr canu yno. Cafodd wahoddiad i fod yn flaenor yn y capel ond fe wrthododd y cynnig am ei fod, mi dybiaf, yn dipyn o agnostig. Roedd Mam yn canu'r piano ac yn hoff iawn o ganu emynau. Roedd gan Bet lais swynol ac roedd hithau hefyd yn canu'r piano. Doedd gan Bill na finnau ddim doniau cerddorol o gwbl ond caem ein gorfodi i ymarfer y piano yn y stafell ffrynt, gyda'r drws yn cael ei gloi! Fodd bynnag, byddem yn dengid drwy'r ffenest i chwarae pêl-droed yn hytrach nag ymarfer.

Roedd gan Gruff, fel Nhad, lais swynol ac roedd o hefyd yn iodlwr penigamp. Er gwaetha'r gymysgedd hon, byddai Nhad yn rhoi ein henwau gerbron i gystadlu ar y pedwarawd yn yr eisteddfodau lleol. Byddai'n brofiad brawychus a dweud y lleiaf! Ein gwrthwynebwyr pennaf oedd pedwarawd fferm Plas Hen gerllaw. Eisteddfod Chwilog ac Eisteddfod Cricieth oedd maes y gad, yn ogystal ag Eisteddfod Genedlaethol yr Urdd. Byddai'r ymryson rhyngom yn ddigon ffyrnig ond byddem yn parhau'n ffrindiau ar ddiwedd y dydd. A dweud y gwir, bu un o ferched Plas Hen yn gariad i mi! Adrodd oedd fy nghryfder i ac fe enillais ddwywaith yn Eisteddfod yr Urdd.

Yn achlysurol, pan oeddem yn blant, caem waith i'w wneud cyn cychwyn ar y daith i'r ysgol. Un dasg oedd corddi'r llaeth i'w wahanu'n fenyn a maidd. Roedd hyn yn waith caled. Ar benwythnosau byddem yn gorfod helpu i odro â llaw. Roedd hyn cyn dyddiau'r system odro fecanyddol Alfa Laval. Roeddwn i wrth fy modd yn gwneud hyn ar fy stôl drithroed fechan, gyda hanner dwsin o gathod y fferm yn disgwyl yn eiddgar gerllaw. Byddwn yn troi'r deth ac yn chwistrellu llefrith i gyfeiriad un o'r cegau bach disgwylgar.

Pan oeddem yn ifanc iawn fe dwyllodd un o'r gweision ni drwy ddangos wyau colomennod amryliw i ni. Almonau siwgwr oedd y rheiny, wrth gwrs. Dro arall fe beintiodd Kate, y forwyn, wy iâr yn binc, gan smalio ei bod wedi darganfod yr wy prin yn un o'r caeau. Byddai Kate yn codi ofn mawr arnom pan fyddai'n taranu. Dywedai y byddem yn ddiogel petaem yn gorchuddio pob drych gyda darn o ddefnydd. Roeddem yn credu pob gair. Wrth i mi ysgrifennu'r geiriau hyn, rhaid i mi gyfaddef bod yr atgofion bore oes diniwed hyn yn codi gwên a dweud y lleiaf!

Un diwrnod, pan oedd Bill yn cael bàth, aeth matres Kate y forwyn ar dân. Dihangodd Bill i'r ardd yn noethlymun groen. Roedd Kate yn ysmygwraig o fri!

Edrychem ymlaen at yr haf er mwyn cael cymryd rhan yn y cynhaeaf gwair a mwynhau'r llaeth enwyn a'r brechdanau jam y byddai'r morynion yn eu cario i'r caeau. Byddem yn cael llawer iawn o hwyl. Roedd hi'n gas gennym gael ein gorfodi i garega a hau tatws yn y gaeaf a'r gwanwyn. Byddai ein dwylo bron â fferru ac roedd o'n hen waith diflas iawn. 'Ni cheir y melys heb y chwerw – dyna beth ydi ffermio' fyddai'r ateb bob tro!

Yn aml iawn yn ystod y gwyliau haf, byddai Bill a minnau'n cael ein gyrru i gartref ein hoff fodryb ac ewythr ar fferm Pentyrch Isa' ym Mhencaenewydd. Yno byddem yn dysgu chwarae cardiau, hel cnau cyll, mwyar duon a llus ar y Garn a mynd am dro i'r llecyn dirgel hwnnw, Ffynnon Gybi. Un tro cawsom fynd â'r hwch at y baedd. A ninnau'n blant fferm, gwyddem yn iawn o ble'r oedd y perchyll yn dod, wrth gwrs. Pan fyddem yn cambihafio byddai Modryb Mary yn bygwth ein cau yn y twll dan grisiau lle'r oedd bwgan fyddai'n ein llyncu ni'n fyw! Mewn gwirionedd, hi oedd y ffeindiaf fyw ac roeddem yn meddwl y byd ohoni hi. Roedd hi'n un o deulu Bach y Saint, Cricieth a oedd yn perthyn i Feddygon enwog Isallt a theulu Bron Gadair; Gwen, merch Bron Gadair, briododd Gruff fy mrawd. Dyna i chi gybolfa! Flynyddoedd yn ddiweddarach, pan oeddwn i'n gweithio yn Lerpwl, cofiaf fynd i weld fy modryb a'm hewyrth gyda'm teulu ifanc. Byddem yn ymweld â nhw ar ddydd Sul ar ôl iddynt fod yn y capel ym Mhen-y-groes, lle'r oedden nhw wedi mynd i fyw ar ôl ymddeol. Byddai'r plant yn cael eu ffefryn – bisgedi sunsur – a ninnau'n cael sieri bach. Byddent yn cau'r llenni yn gyntaf, rhag ofn i rywun ein gweld yn yfed alcohol ar y Sul! Ond roedden nhw ill dau yn Fethodistiaid i'r carn.

Ers pan oeddwn i'n ifanc iawn, pysgota oedd un o'm hoff bleserau mewn bywyd. Ar y dechrau ceisiwn ddal cochiaid (*roach*) gyda bachau cyntefig yn un o'n llynnoedd gerllaw'r môr ac yna'n ddiweddarach, a minnau'n laslanc, byddwn yn cosi brithyllod dan dorlannau afon Dwyfach ger y cymer lle'r oedd hi'n ymuno ag afon Dwyfor. Y gorau am ddal pysgod oedd Hans, un o'r gweision fferm a fu'n garcharor rhyfel ac a briododd ferch o'r ardal. Roedd o'n sgut am gosi eogiaid ac yn ôl fy nghefnder, Barry, gallai ddal hanner dwsin o eogiaid tewion pan oedd y cipar yn rhywle arall. Dyna ichi grefft!

Yn ddiweddarach, gyda fy mrawd yng nghyfraith Hywel, datblygais fy niddordeb ymhellach drwy bysgota sewin yn ystod y nos, a hynny'n gyfreithlon ac o ddifrif, ar afon Dwyfor, yna ar afon Conwy, ac yna buom yn pysgota eogiaid ar afon Dyfrdwy yng Nghymru. Yn nes ymlaen byddaf yn sôn am deithiau pysgota i Glen Affric yn yr Alban, i afonydd Tweed a Border Esk, a hyd yn oed i Lardål yn Norwy. Mae dal eog deg pwys yn wefr heb ei hail, hyd yn oed os oes raid ei ryddhau yn ôl i'r dyfroedd wedyn – fel sy'n digwydd bob hyn a hyn.

Cyn ac ar ôl yr Ail Ryfel Byd, roedd ceffylau cryfion megis y ceffylau gwedd a'r Clydesdale yn eu bri. Roeddent yn anhepgor i fywyd cefn gwlad cyn i beiriannau tanio mewnol weld golau dydd. Roedd gan ein teulu ni ar fferm Glanllynnau barch mawr tuag at y creaduriaid nobl hyn a fu'n weithwyr ffyddlon iawn am genedlaethau. Tristwch mawr oedd eu gweld, erbyn y 1930au, yn segura ar wahân i waith mewn coedwigoedd neu gael eu harddangos mewn sioeau. Pan oeddem yn ifanc roeddem yn meddwl y byd o'r ceffylau hyn, yn enwedig y ceffylau gwedd a'r ddwy ferlen ddof. Roedd gennym un cob Cymreig hefyd. Yn yr unfed ganrif ar bymtheg roedd Harri'r Wythfed wedi gorchymyn i bob ceffyl llai na phedair llaw ar ddeg gael eu difa am nad oeddent yn dda i ddim mewn rhyfel. Mae pethau wedi newid erbyn heddiw a cheffylau ysgafn, bychan yn cael eu defnyddio ar hyd a lled cefn gwlad i hela a rasio, a'r merlod llai yn cael eu marchogaeth hefyd. Y bridiau bach sy'n teyrnasu bellach, a phrin y gwelir y ceffylau mawr erbyn hyn. Yn ddeunaw oed, cofiaf yn dda aredig cae Pontfechan i gyd gydag aradr un gŵys a'm dau hoff geffyl gwedd, Mena a Bell. Dyna i chi gamp! Roeddwn i mor falch! Arferai Bill a minnau farchogaeth y ddwy gaseg i efail Joseph Jones yn Chwilog. Mae arogl carnau'n llosgi a thinc pedolau ar einion yn dod â'r atgofion braf yn ôl yn fyw. Ar y ffordd i Chwilog byddem yn croesi'r Lôn Goed, llwybr coediog sy'n ymestyn am filltiroedd drwy gefn gwlad Eifionydd, a'n capel Methodistaidd ni, Engedi, yn y canol. Fyddai wiw i mi anghofio Shiani ychwaith, y ferlen cart llaeth oedd yn cario llefrith i Gricieth gyda Wil Car Llaeth. Gwyddai Shiani ble'r oedd pob un stop heb i Wil orfod ei ffrwyno ac ambell waith fe gerddai Shiani adref ei hun pan oedd Wil yn dilidalio gyda'r merched!

Diléit Nhad oedd arddangos ei geffylau gwedd a'i Clydesdales arobryn mewn sioeau, gan gynnwys Sioe Amaethyddol Frenhinol Cymru. Yr wythnos cyn y sioe byddai wrthi fel lladd nadroedd yn paratoi'r goreuon. Ifan Gruffydd fyddai'n gofalu am bopeth am mai fo oedd y dyn ceffylau ar y fferm. Byddai Ifan yn treulio oriau maith yn gofalu bod y bacsiau a'r myngau yn berffaith. Lliwiau'r teulu – glas a gwyn – oedd y taselau addurno. Byddai'r stablau'n cael eu haddurno gyda'r rhosedi roedd o'n eu cael am ennill, a'r cwpanau'n cael eu sgleinio gan Mam yn y tŷ.

Mae'n rhaid i mi sôn am Ifan – ein cyfaill coesgam, cnöwr baco a llawer iawn mwy. Petai wedi cael addysg fel plant y dyddiau yma, byddai wedi bod yn arbenigwr cyfrifiadurol, yn ail Bill Gates efallai. Roedd ganddo gof fel eliffant. Mi gofiaf yr adeg pan gafodd ein buches laeth brofion twbercwlin; roedd Ifan yn cofio rhifau'r pedwar tag a osodid ar bob anifail. Flynyddoedd yn ddiweddarach, fo oedd yn gyfrifol am brynu a gwerthu anifeiliaid ar ran Mam, a oedd erbyn hynny'n wraig weddw. Bu bron i ni golli Ifan un tro pan ymosododd tarw arno yn un o'r siediau. Drwy drugaredd, roedd picwarch gerllaw ac mi blannodd honno yn nhrwyn y tarw cyn ei heglu hi o'i olwg.

Tristwch mawr fu colli Nhad yn ddisymwth ac yntau ond yn hanner cant a naw mlwydd oed. Bu farw o'r dwymyn donnog (brwselosis) cyn i brofion rhag yr haint hwn gael eu cynnal yn rheolaidd ar wartheg. Roedd o wedi bod yn ymdrin â gwartheg ers blynyddoedd maith. Ifanc oeddem ni – roeddwn i'n ddeunaw, Bill yn bymtheg, Bet yn dair ar ddeg a Gruff yn un ar ddeg. Gadawyd Mam yn weddw i redeg fferm brysur a magu pedwar o blant mewn oes pan nad oedd amaethyddiaeth ar ei gorau. Bu Ifan Gruffydd yn gefn mawr inni ac fe lanwodd ychydig ar y bwlch a adawodd Nhad.

Un digwyddiad doniol o gyfnod fy mhlentyndod yw'r un pan gefais fy nghyflwyno i lawfeddygaeth a thonsiliau am y tro cyntaf. Tua deg oed oeddwn i pan ddywedodd y meddyg y dylid tynnu fy nhonsiliau a'm hadenoidau. Gwnaed hynny yn Ysbyty'r C&A ym Mangor. Pan ddeffrais ar ôl y llawdriniaeth, a hynny mewn cot mawr, y cyfan a welwn dan fy nhrwyn oedd dwy droed. Roedd bachgen arall yn rhannu'r cot gyda mi, ben ucha'n isa, ac yntau hefyd newydd gael tynnu ei donsiliau. Flynyddoedd yn ddiweddarach, a minnau'n feddyg tŷ ifanc, roedd fy mos yn Ysbyty Joyce Green yng Nghaint yn dioddef o boenau yn ei ysgwyddau ac felly fe benderfynodd fy nysgu i i dynnu tonsiliau ac adenoidau ar ei ran. Mewn tri mis mae'n siŵr fy mod wedi tynnu rhai cannoedd a dod yn gryn arbenigwr yn y maes. Anaml iawn y gwneir y llawdriniaeth hon heddiw, fodd bynnag, gan fod tonsiliau yn mynd yn llai wrth i rywun fynd yn hŷn.

3

Dyddiau ysgol yn Llanystumdwy a Phwllheli

SGOLOR A HEN lanc o'i gorun i'w sawdl oedd prifathro ein hysgol gynradd, Griffiths y Jib. Ei ddiddordebau oedd pysgota, garddio a chadw gwenyn. Pan fyddai hi wedi bwrw glaw yn drwm y noson flaenorol byddai'n gadael y dosbarth ac yn mynd gyda'i wialen a dau hogyn cryf at lan afon Dwyfor gerllaw, a honno'n llifo'n uchel. Roedd o'n gorchymyn y plant i ysgrifennu traethawd maith i'n cadw ni'n brysur gyhyd ag yr oedd modd! Byddai o flaen ei well am wneud hynny heddiw. Byddem hefyd yn gorfod gweithio yn ei ardd, yn chwynnu a thendio'r cychod gwenyn. Roedd hynny'n addysg werth chweil ac yn llawer mwy o hwyl na gwneud symiau diflas!

Roedd o'n ddisgyblwr llym ac yn ddigon teg ond roedd y wialen fedw wrth law bob amser. Un diwrnod fe wrthododd George, hogyn go ddireidus, gael ei daro â'r wialen gan Mr Moxon, un o'r athrawon eraill. Gafaelodd George yn y wialen a'i thorri hi'n ei hanner ar draws ei ben-glin, cyn ei heglu hi am adref a dod yn arwr i bawb yn yr ysgol! Roedd George yr un mor ddireidus yn y dosbarth hefyd ac yn tynnu plethi'r genod yn ddi-baid. Ryw dro arall, cafodd hyd i ryw ryfeddod o'r enw 'condom' ar yr iard. Fe'i chwythodd yn swigen ond pan welodd Miss Whittington hi, aed â'r 'falŵn' o'i ddwylo. Roedden ni mor ddiniwed bryd hynny.

Roedd ein hysgol ni yn llawn doniau cudd. Un ohonynt oedd Wil Sam, fy arwr, a'i frawd Elis Gwyn a ddaeth yn artist. A dyna Jac a Robin Gwynfryn – dau a ddaeth yn awduron a dramodwyr. Jac ysgrifennodd *Pigau'r Sêr* ac roedd Robin yn bregethwr ac yn un o Driawd enwog y Coleg. Dau artist arall o fri yng Nghymru oedd Gwilym ac Arthur Pritchard hwythau.

Un athrawes a'm cymerodd i dan ei hadain oedd yr annwyl Ann Jones, Penrallt Bach, a oedd yn tanlinellu pwysigrwydd y 'three Rs'. Roeddwn i'n un o'i ffefrynnau hi. Heddiw byddaf yn cydymdeimlo â'r athrawon hynny sy'n gorfod delio â phlant ifanc mewn trallod. Erstalwm gallai athro neu athrawes garedig gofleidio a chysuro disgybl ond yn anffodus heddiw, ni all athrawon wneud dim byd rhag ofn iddynt gael eu cyhuddo o gam-drin plentyn. Ymhen blynyddoedd deuthum innau dan wyliadwriaeth wrth ddelio â phlant a oedd yn gleifion i mi, ond roedd hi'n rheidrwydd arna i eu cyffwrdd er mwyn eu harchwilio ac fel arfer roedden nhw gyda'u rhieni ar y pryd.

Dim ond unwaith y gwelais i David Lloyd George yn y cnawd, a hynny pan oeddem yn chwarae ar iard yr ysgol. Roedd o'n cerdded heibio'r ysgol, clogyn du am ei ysgwyddau a ffon o liw aur yn ei law, a'r gwynt yn chwythu drwy'i wallt gwyn. Bu ein teuluoedd yn gyfeillion ar hyd y blynyddoedd ac fe fyddai Mam yn gwahodd Lady Margaret a gwragedd bonheddig eraill acw i de yn achlysurol. Hyd heddiw mae eu hŵyr Bengie a minnau yn chwarae golff gyda'n gilydd – ond ddim yn dda iawn! Ar hyd y blynyddoedd rwyf wedi mwynhau oriau diddan iawn yn Eisteddfa, Cricieth, gyda theulu estynedig Lloyd George. Bûm yn ddigon ffodus i gael pysgota ar eu llynnoedd. Rwyf hefyd wedi cael y fraint o ddarlithio ambell waith yn Amgueddfa Lloyd George yn Llanystumdwy, yn yr hen filltir sgwâr.

O bryd i'w gilydd byddai ficer Aber-erch yn ymweld â'r ysgol i roi profion holwyddoreg a'r Ysgrythur i ni. Nid oedd fawr o siâp arnom am nad oeddem yn medru Lladin! Ni chaem siarad Cymraeg yn y dosbarth ychwaith, am mai ysgol Eglwys oedd hi. Ymwelydd arall â'r ysgol oedd Miss Lewis Talhenbont, aelod o gyngor yr eglwys ac un o foneddigesau'r ardal. Pan fyddai hi'n galw roedd gofyn inni dynnu ein capiau.

Ar ôl pasio'r 11+ yn Ysgol Llanystumdwy, euthum i'r 'Pwllheli Grammar School'. Roeddwn i wrth fy modd yno. Teithiwn yno ar y bws yng nghwmni fy nghyfnither, Elizabeth, Bryn Marsli. Roedd ganddi hi lond pen o wallt cringoch ac roedd hi'n goblyn o gymeriad. Pan fyddai hi'n dod ar y bws byddai'n bandemoniwm wrth iddi ddadlau, rhedeg yn ôl ac ymlaen ar hyd y llwybr yng nghanol y bws a chreu helynt mawr i'r gyrrwr druan. Pan fyddai'r bws yn teithio rhwng Aber-erch a Phwllheli byddai'r arlunydd enwog Kyffin Williams yn dod arno. Flynyddoedd yn ddiweddarach fe'm hatgoffodd o'r teithiau stwrllyd hynny! Yn fy marn i, roedd yr ysgolion gramadeg bryd hynny yn rhagorol. Pam y cawsant eu diddymu, tybed? Canlyniad rhyw system weinyddol a gwleidyddol gamarweiniol efallai.

Roedd Ysgol Ramadeg Pwllheli yn hwyl garw. Dyn a ŵyr pam ond fe gefais i fy rhoi mewn dosbarth arbennig, 4X. Cefais fy ethol yn brif fachgen hefyd, a oedd yn dipyn o fraint, ond yn sgil hynny roedd gen i lawer o gyfrifoldebau. Efallai mai dylanwad fy rhieni oedd yn gyfrifol am y ffaith i mi ddod yn gredwr cryf mewn chwarae teg, a daeth gormes y cryf dros y gwan yn atgas gennyf. Cofiaf weld un o'r hogiau mawr yn rhoi cweir iawn i un o'i gyd-ddisgyblion llai. Gofynnais iddo roi'r gorau iddi ac wrth gerdded oddi wrtho fe'i gwelais yn dyrnu'r bachgen unwaith yn rhagor. Aeth hi'n frwydr rhyngom ein dau ac, er mawr gywilydd i mi, fe dorrais ei fraich. Euthum ag o at y prifathro ac fe'n gyrrodd o ni ein dau at Dr Charles yn y dref. Ymhen blynyddoedd daeth y 'bwli' a minnau yn gyfeillion agos.

Bryd hynny roedd yna dipyn o gystadleuaeth rhwng disgyblion ysgol 'sec mod' Pwllheli a ninnau. Felly, er mwyn rhoi taw ar y ddadl, penderfynwyd cynnal ymryson rhwng dau baffiwr – un o bob ysgol. Cytunwyd yn unfrydol i'm hethol i i gynrychioli'r ysgol ramadeg oherwydd fy mhrofiad gartref ar y fferm gyda Ridley. Hogyn caled gyda mop o wallt cringoch oedd fy ngwrthwynebydd. Buom yn ymladd yn ffyrnig, a hynny at waed hyd yn oed. Pan oedd y ddau ohonom wedi ymlâdd, dyna ysgwyd llaw ac o'r dydd hwnnw ymlaen bu'r ddwy ysgol yn cyd-fyw mewn heddwch.

Dros chwarter canrif yn ddiweddarach, pan oeddwn i'n gweithio yn Nigeria, deuthum wyneb yn wyneb â hen gyfaill o Ysgol Ramadeg Pwllheli, Cynan Owen. Roedd o'n arfer chwarae yn yr un tîm pêl-droed â fi. Byd bach yntê! Fe ailgyneuwyd ein cyfeillgarwch a daeth gwraig Cynan, Phyl, a ddeuai o Gerrigydrudion, a'm gwraig innau, Meg, yn ffrindiau da.

4

Dewis llwybr

MAE'R RHAN FWYAF o bobl yn credu ein bod yn rheoli ein ffawd ein hunain, a bod y llwybrau a ddewiswn yn ystod ein bywydau yn dibynnu ar gymeriad pob un ohonom. Ond fy marn i yw bod amgylchiadau a grymoedd allanol yn rheoli'r hyn a wnawn i raddau helaeth, er bod pawb yn dechrau ar ei daith drwy fywyd gyda'i enynnau ei hun eisoes wedi eu sefydlu, wrth gwrs. Gall y grymoedd hyn ymddangos yn hynod arwyddocaol neu'n gwbl ddi-nod ar y pryd, ond wrth edrych yn ôl ar fywyd byddant wedi dylanwadu ar yr unigolyn a'i arwain i ddewis y llwybr hwn neu'r llall.

Mae fy hanes i yn brawf o hyn.

Pan oeddwn i'n ifanc fe ddisgynnais oddi ar ben wal a thorri fy nghoes. Wnaeth Nhad ddim mynd â fi at y meddyg lleol; yn hytrach, aeth â fi at y meddyg esgyrn ym Mhwllheli, sef yr enwog Richard Evans, perthynas pell i feddygon esgyrn enwog Môn. Cefais fy synnu gan ei fedrusrwydd ac fe unodd yr asgwrn yn ôl i'w briod le.

Y digwyddiad nesaf a ddylanwadodd ar fy nhynged i oedd damwain a ddaeth i ran Bill fy mrawd. Euthum ag ef ar frys at ein meddyg teulu, Dr Sheldon, cymeriad a oedd, gyda llaw, bob amser yn gwisgo trowsus pinstreip a sbats. O ran gyrfa, credwn fy mod wedi fy nhynghedu i fod yn ffermwr, ond amharwyd ar hynny gan ambell ddigwyddiad. Roeddwn wedi cael fy narbwyllo i fynd yn filfeddyg ac fe wyddai Dr Sheldon hyn. Felly, pan euthum â Bill ato yn waed o'i gorun i'w sawdl, fe'm cyfarchodd drwy ddweud, 'Ffariar wyt ti am fod, ia? Os felly, helpa fi i bwytho dy frawd.' Cytunais – cyn llewygu. Pan ddeuthum ataf fy hun, meddai'r meddyg, 'Rwyt ti wedi cael dy fedyddio rŵan. Wnei di ddim llewygu pan weli di waed byth eto.' Yna ychwanegodd na ddylwn i fynd yn filfeddyg. 'Mi ddylet ti fynd yn ddoctor a dwi'n mynnu dy fod yn hyfforddi yn yr un ysgol feddygol ag y gwnes i, Guy's Hospital yn Llundain. Mae'r prifathro yn ffrind i mi. Mi drefnaf iti ei weld o ym mis Gorffennaf.'

Nid oedd gen i ddewis ond ufuddhau. Yn ddiweddarach y flwyddyn honno euthum i mewn i swyddfa prifathro'r ysgol feddygol yn llawn ofn – cyn cael fy nghyfarch yn Gymraeg. Tarodd y prifathro gipolwg sydyn ar fy CV a sylwi bod Nhad yn cadw buches o wartheg duon Cymreig, fel ag yr oedd yntau ar ei fferm ger Aberystwyth. Aeth y cyfweliad yn esmwyth braf wedi hynny a dod i ben gyda'r geiriau, 'Mi wela i di ym mis Medi.' A dyna'r llwybr wedi ei agor, yn bennaf oherwydd y digwyddiadau allanol a ddaeth i'm rhan.

Mae eraill yn dweud bod bywyd fel gêm loteri. Drwy drugaredd, rydw i wedi bod yn lwcus iawn ar hyd fy oes ac yn wylaidd iawn diolchaf am bob mwyniant a boddhad yr ydw i wedi eu profi yn fy mywyd teuluol a phroffesiynol, yn enwedig drwy fy ngalwedigaeth yn gofalu am gleifion.

Ond mae'n rhaid i mi droi fy ngolygon yn ôl i flynyddoedd glaslencyndod cyn yr Ail Ryfel Byd. Yn anffodus, dioddefais yn ddrwg o dwymyn y gwynegon (*rheumatic fever*), a oedd yn gyffredin iawn ymysg plant bryd hynny. Mae'n bur debyg i hyn adael ei ôl arnaf a gwneud niwed i falfiau fy nghalon. Er hynny, roeddwn yn rhedwr pellter byr a neidiwr clwydi di-fai a hefyd yn medru gwneud y naid uchel a chwarae criced yn Ysgol Ramadeg Pwllheli; fy llysenw yno oedd 'Spider' am fod gen i goesau at fy ngheseiliau! Yn ogystal â hyn, am fy mod yn hogyn llaw chwith, byddai fy mraich chwith yn cael ei chlymu y tu ôl i'm cefn pan oeddwn yn ysgrifennu. Yn ddiweddarach felly, wrth chwarae criced, byddwn yn bowlio gyda fy llaw chwith ac yn batio â'r dde. Ymhen blynyddoedd wedyn, wrth weithio fel llawfeddyg, roedd cael rheolaeth ar y ddwy law fel ei gilydd yn fantais neilltuol wrth dyrchu mewn bol neu fynwes yng nghanol llawdriniaeth.

5
Bywyd yn Llundain ac Iwerddon

CEFAIS FY NERBYN i astudio meddygaeth yn Ysbyty Guy's yn Llundain ym mis Gorffennaf 1939, cyn i'r Ail Ryfel Byd dorri ar y 1af o Fedi. Yn eu doethineb, neu beidio, fe benderfynodd yr awdurdodau y dylwn orffen fy hyfforddiant meddygol yn gyntaf a chyflawni fy ngwasanaeth milwrol wedyn. Rwyf yn amau i hynny gael ei benderfynu'n rhannol oherwydd y nam ar fy nghalon o ganlyniad i dwymyn y gwynegon. Mae'n edifar gennyf hyd heddiw na fûm i o wasanaeth yn ystod y rhyfel. Treuliais y blynyddoedd hynny fel myfyriwr yn ardal yr East End yn Llundain ac felly ni chefais wasanaethu yn y rhengoedd blaen.

Ond nid oedd bywyd yn Ysbyty Guy's heb ei beryglon ychwaith. Roedd yr East End yn cael ei bomio'n barhaus gan y Luftwaffe, gyda bomiau'r V1 a V2 yn targedu'r ardal oddi amgylch Southwark. Yn achlysurol byddwn yn hiraethu am Gymru, a minnau wedi cyfnewid llonyddwch cefn gwlad am fywyd trefol, dieithr. Roedd byw yn Llundain yn brofiad newydd, a minnau'n ifanc. Cydiais yn dynn yn y traddodiadau Cymreig drwy fynd i gapel

Charing Cross a mwynhau cyfeillach Gymraeg yng Nghanolfan Cymry Llundain yn Gray's Inn Road. Ond roedd bywyd myfyriwr meddygol yn gyffrous, felly nid oeddwn yn edifarhau dim am hyn.

Rwy'n cofio fel petai'n ddoe un nos Sadwrn braf o haf pan ollyngwyd bom V1 ar dafarn orlawn yn ymyl Ysbyty Guy's. Fe gafodd nifer o bobl eu hanafu. Cefais orchymyn i fynd i archwilio'r cyrff yn y marwdy dros dro rhag ofn bod ambell un yn dal yn fyw. Roedd hynny'n waith ofnadwy. Roedd gwraig feichiog yno, yn amlwg wedi marw. Fe dybiais fy mod yn gallu clywed curiad calon y baban, ond yn anffodus nid felly'r oedd hi. Bu'r profiad hwnnw ar fy meddwl am flynyddoedd wedyn.

Ar nodyn ysgafnach, un o'r lleoliadau i fyfyrwyr meddygol oedd Ysbyty Pembury yng Nghaint ac fe dreuliais innau gyfnod yno. Un diwrnod roeddwn wedi bod yn marchogaeth ac yn nofio gyda fy nghyfaill Dick Neve. Roedd Dick yn nofiwr cryf, yn wahanol i mi. Wrth ymdrechu i nofio fel Dick, suddais i'r gwaelod ac ar ôl llyncu llawer iawn o ddŵr cefais fy achub. Wrth ddod yn ôl i dir y byw, fel petai, agorais fy llygaid a beth welwn i o'm blaen ond angel penfelyn. A dweud y gwir, am eiliad roeddwn i'n tybio fy mod wedi cyrraedd y nefoedd! Rai misoedd yn ddiweddarach, pan oeddwn i'n cerdded ar hyd y pendist yn Ysbyty Guy's, daeth dwy nyrs ddel ataf i siarad. 'Mi wnes i achub dy fywyd di,' meddai un. Hi oedd yr angel! Mae'n rhaid i mi gyfaddef, yn ystod y dyddiau hynny pan oeddwn i'n fyfyriwr a'r testosteron yn llifo'n gryf drwy fy ngwythiennau, mi gymerais fy ffansi at chwe llances dlos, nyrsys y rhan fwyaf ohonyn nhw. Ond chwiw oedd hynny – tan i mi gyfarfod Meg flynyddoedd yn ddiweddarach.

Pan oeddem yn fyfyrwyr hŷn byddem yn mynd i gaeau hopys Swydd Caint i bwytho pennau casglwyr hopys yr East End oedd wedi bod yn cwffio yn eu cwrw. Roedd hyn yn ymarfer rhagorol ar gyfer rheoli adrannau damweiniau yn ddiweddarach. Yn Ysbyty Guy's roeddem yn byw mewn lle a elwid 'The Ghetto', a oedd yn gyntefig iawn. Ond yn ystod y cyrchoedd bomio, cysgem yn y selerydd gyda'r llygod mawr. Serch hynny, caem brofiadau dedwyddach hefyd, megis y twrnameintiau rygbi rhwng ysbytai. Casgen gwrw oedd ein masgot, a honno wedi ei chlymu'n sownd i'n cyd-fyfyrwyr er diogelwch, rhag ofn i'n gwrthwynebwyr ei dwyn. Roeddem yn fyfyrwyr cydwybodol iawn am ein bod yn ymwybodol o'r fraint o gael astudio yno. Tuag at ddiwedd ein cyfnod hyfforddi rhoddwyd arnom gyfrifoldebau clinigol a fyddai ymhell y tu hwnt i'r hyn a ganiateid pe na bai hi'n rhyfel. Er enghraifft, ymddiriedwyd ynom i dynnu tonsiliau a phendics, er nad oeddem eto wedi cymhwyso'n feddygon. Hefyd, fe gefais i'r fraint aruthrol o gynorthwyo'r Arglwydd Brock, yr arloeswr byd ar lawfeddygaeth, i roi falfiau newydd mewn calon. Petawn ond wedi gwybod bryd hynny y byddai fy falf aortig innau'n rhoi'r gorau i weithio ymhen blynyddoedd ac y byddwn yn cael un newydd – a honno'n falf mochyn!

Pan oeddwn yn feddyg ifanc, gweithiais am gyfnod i ffwrdd o Ysbyty Guy's, sef yn Ysbyty Joyce Green yng Nghaint. Roedd hynny'n addysg a dweud y lleiaf. Fy mhrif atgof o'r cyfnod hwnnw yw'r ferch ifanc a ddaeth i mewn i gael llawdriniaeth gan fy mhennaeth oherwydd bod rhwystr enfawr yn ei choluddyn. Tynnwyd y drwg ond roedd rhoi'r coluddyn yn ei ôl wedyn yn orchest a hanner. Wrth i amser fynd rhagddo, nid oedd y briw ar ôl y llawdriniaeth yn gwella a bu farw'r ferch. Fi gafodd y gwaith o gynnal y post-mortem, gydag un o borthorion yr ysbyty yn dyst. Er syndod i mi, canfûm *swab* oedd heb gael ei dynnu o'r bol yn ystod y llawdriniaeth. Dywedais hyn wrth fy mhennaeth, a oedd yn ŵr doeth a gonest iawn. 'Mae'n rhaid cynnal cwest,' meddai, heb feddwl ddwywaith am wadu'r anhap. Dyna pryd y dysgais bwysigrwydd bod yn agored ac yn deg gyda chleifion a'u perthnasau bob amser. Dyfarniad y cwest oedd 'anffawd o ganlyniad i anawsterau yn ystod y llawdriniaeth'. Roeddwn i'n nerfus iawn wrth dystio a chefais fy ngalw yn fy ôl gan y crwner. Er mawr syndod i mi, fe'm llongyfarchodd ar sut yr oeddwn wedi gweithredu. Yn ddiweddarach, canfûm mai ei daid oedd neb llai na Charles Dickens, awdur enwog *A Christmas Carol*.

Yn ystod fy nghyfnod o hyfforddiant israddedig, tybiais y byddai gyrfa ym maes obstetreg yn ddewis da. Fe'm gyrrwyd i a'm cyd-fyfyriwr Jimmy Crook i Ysbyty Rotunda enwog Dulyn. Roedd yn brofiad gwych. Er enghraifft, caem ein gyrru ar ein beiciau i ddod â babanod i'r byd yn stadau tlota'r ddinas, yn union fel y gyfres *Call the Midwife* ar y teledu heddiw. Roeddem wrth ein boddau yng nghanol y Gwyddelod. Wedi'r cyfan, mae gennym lawer yn gyffredin, gan gynnwys Sant Padrig, a adawodd Gymru am yr Ynys Werdd. Cawsom gyfle hefyd i fwynhau ambell beint o Guinness yn y Green Cockatoo ar stryd O'Connell gyda chyfeillion a oedd yn fyfyrwyr.

Un diwrnod, ychydig cyn y Nadolig, aethom i weld gwraig feichiog ar y pumed llawr mewn bloc o fflatiau. Bu'n rhaid i ni gamu dros ryw greadur chwil ar y grisiau ar ein ffordd i fyny i'r fflat. Roedd y ddarpar fam yn gorwedd ar fatres wellt a nifer o gymdogion o'i chwmpas. Fe aned y baban ond doedd y brych ddim yn dod allan ac roedd y fam yn gwaedu'n drwm. Nid oedd ffôn symudol i'w gael i ofyn cyngor yr ysbyty, felly fe ymwrolais a chyflawni'r dull Credé, sef gwasgu'r groth o'r pen uchaf am i lawr. Roedd hi'n weithred go fentrus ond bu'n llwyddiant. Ar ôl glanhau popeth, o nunlle fe ymddangosodd clamp o dwrci, pwdin Nadolig a chwrw i ddathlu. Darparwyd gwledd ar gyfer Jimmy a minnau a dyna pryd yr ymddangosodd y tad, sef y gŵr a welsom ar y grisiau!

Ar ôl y gwibdeithiau hyn byddem yn dychwelyd i'n hystafell, cael cawod a rhoi ein dillad yn un pentwr ar y llawr i ddenu'r llau gwely. Dyna lle y gwnaethom ni ddysgu beth oedd tlodi go iawn.

6

Gwasanaethu'r Brenin a'i deyrnas

AR ÔL CWBLHAU'R hyfforddiant yn Ysbyty Guy's daeth hi'n bryd i mi ymuno â'r Awyrlu Brenhinol a dod yn Swyddog Meddygol Awyr-Lefftenant (gan gyrraedd swydd Asgell-Gomander erbyn i mi orffen fy ngwasanaeth). Roeddwn i fod i fynd i'r Dwyrain Pell ond yn hytrach na hynny cefais fy ngyrru i wahanol ysbytai yn y Deyrnas Unedig: Henlow, Sain Tathan, Brechin, Wharton a West Kirby.

Pan oeddwn yn gweithio yn Moreton-in-Marsh, cefais fy nghyflwyno i ddril *square-bashing* arbennig. Bu'r profiad cyntaf yn un a gododd gywilydd arnaf braidd. Un diwrnod o eira yn ystod gaeaf 1947 cawsom ein martsio am ddwy filltir i le lle byddem yn profi sut beth fyddai hedfan yn uchel iawn. Gwnaed hyn drwy ein rhoi mewn siambr datgywasgu (*decompression*). Dywedwyd wrthym y dylem wneud dŵr cyn mynd i mewn i'r siambr ac fe wnes innau hynny. Fodd bynnag, wrth adennill ymwybyddiaeth, sylwais fod fy nhrowsus yn wlyb socian. Bu'n rhaid i mi fartsio'n ôl yr holl ffordd i'r barics a minnau bron â fferru.

Wrth gwrs, nid oeddwn yn hedfan pan oeddwn i yn yr Awyrlu, er fy mod wedi hedfan yn answyddogol gyda chyfaill i mi a oedd yn beilot, a hynny i arfordir Norwy gan amlaf. Petaem wedi cael ein dal byddem wedi cael ein rhoi ar brawf. Roedd bywyd yn eithaf tawel yn yr Awyrlu pan nad oedd hi'n rhyfel, er i mi gael ambell brofiad difyr wrth ofalu am y dynion. Un noson bu'n rhaid i mi roi llawdriniaeth i fachgen ifanc oedd yn dioddef o lawesiad coluddyn (*intussusception*). Ar ôl torri troedfedd o'r coluddyn, tybiwn fy mod wedi gwneud gwaith go dda ac felly i ffwrdd â mi i'r gwely. Y bore wedyn roedd y creadur bach mewn gwayw dychrynllyd. Ar ôl holi hwn a'r llall deallais fod y cwc wedi rhoi brecwast llawn saim iddo – nid y peth gorau i glaf sy'n cael ei gefn ato ar ôl y fath lawdriniaeth – ond, wrth lwc, fe oroesodd.

Yn yr Awyrlu y gwelais fy narpar wraig am y tro cyntaf. Unwaith eto roeddwn i'n tyrchu y tu mewn i berfeddion un o'r dynion, gyda sister ddel yn fy nghynorthwyo. Pan godais fy mhen gwelwn ei bod hi ar fin llewygu, felly gadewais y claf ar yr union eiliad pan oedd hi ar fin syrthio i'r llawr. Gafaelais ynddi o gwmpas ei gwasg. Hi oedd fy Meg i, a ddaeth yn wraig i mi am drigain ac un o flynyddoedd. Dyna i chi gyfarfyddiad rhamantus yntê? Serendipedd – hwnna ydi o!

Fe geisiwyd fy mherswadio i gymryd swydd gomisiwn barhaol gyda'r Awyrlu ac fe addawyd dyrchafiad i mi i reng uwch, gan ddod yn llawfeddyg cardiothorasig. Ond erbyn hynny roedd fy nghariad a minnau'n dymuno byw bywyd cyffredin, mwy sefydlog.

Pan oeddwn yn gweithio yn yr Awyrlu tybiais y dylwn i edrych fel meddyg go iawn drwy dyfu mwstash ac ysmygu cetyn. Fodd bynnag, fe roddodd Meg derfyn ar hynny drwy ddweud fy mod yn edrych yn wirion gyda thyfiant dan fy nhrwyn a chetyn yn fy ngheg. Eilliais i blesio fy nghariad ac nid ysmygais fyth wedyn ychwaith.

***

Yn ystod ein cyfnod gyda'r Awyrlu yn West Kirby cyfarfyddom â dau fachgen ifanc o'r enw Gwyn – Gwyn Thomas a Gwynn Llewelyn, y ddau yn swyddogion negesau ar ward Meg. Rydym wedi bod yn gyfeillion i'r ddau a'u gwragedd, Mari a Gwyneth, fyth ers hynny. Mae Gwyn Thomas yn dal i daeru iddo ddal Meg a minnau'n swsio yng nghwpwrdd crasu dillad y ward! Celwydd noeth, wrth gwrs! Ond mae o'n dal i ailadrodd y stori'n aml.

Yn y gwersyll un dydd Sul, fe benderfynodd y ddau Gwyn (ar ôl gorffen eu dyletswyddau nos) fynd i gapel yn West Kirby i glywed tad Gwynn yn pregethu yno. Yn anffodus, fe gysgodd y ddau yn ystod y gwasanaeth! Doedden nhw'n dda i ddim am *square-bashing* ychwaith am na wyddent y gwahaniaeth rhwng y goes dde a'r goes chwith.

Dilynodd Gwyn yn ôl troed ei dad a mynd yn ddoctor yn Ninbych. Câi ei dad ei adnabod fel 'Y

Diweddar Dr John' am ei fod yn ymweld â chleifion yn hwyr iawn yn y nos yn aml iawn. Gyda llaw, ei frawd oedd fy athro a'm mentor yn Lerpwl.

Daeth y Gwynn arall yn feddyg anifeiliaid – milfeddyg – un da iawn hefyd! Mae o a Gwyneth wedi ymddeol erbyn hyn ac yn byw mewn cartref braf ym Mhwll Glas; mae ganddynt ddau fab cydnerth.

Un tro ceisiais argyhoeddi'r ddau Gwyn y byddai'n syniad da inni ysgrifennu llyfr am heintiau pobl ac anifeiliaid ac anafiadau fferm. Ond gwaetha'r modd, ni wnaethant ymateb i'm cais. Yn hytrach na hynny, fe ysgrifennodd un ohonynt nofelau a cherddi digri a'r llall gofiant i'w dad, a oedd yn feddyg yng nghefn gwlad. Roedd gan y ddau Gwyn leisiau bas bendigedig ac fe fyddent yn canu deuawdau yn aml yn ein partïon teulu.

Mae Gwyn wrth ei fodd yn dweud y stori sut y cyfarfu â Mari am y tro cyntaf. Nos Sadwrn oedd hi, yn Undeb y Myfyrwyr yng Nghaerdydd. Roedd Gwyn wedi cael peint neu ddau o gwrw ac yn morio canu caneuon go fasweddus i griw bach dethol pan ddaeth dwy ferch ifanc i mewn i'r ystafell, un benfelen a'r llall yn bryd tywyll. Rhoddodd Gwyn y gorau i ganu yn y fan a'r lle a chyhoeddi, 'Fi biau'r un bryd tywyll.' Mari oedd honno, wrth gwrs, ei ddarpar wraig. Bu'r ddau'n cydweithio fel meddygon yn Ninbych am flynyddoedd, gan fagu tri o blant. Seiciatreg oedd diddordeb Mari ac fe ymddiddorai Gwyn yng ngwaith y Coleg Meddygon Teulu, yn hyfforddi meddygon ifanc ar gyfer gyrfa yn feddygon teulu yng ngogledd Cymru a Lerpwl. Unwaith, pan oedd hi'n dro i Mari ymweld â chlaf yng nghanol y nos, cymerodd amser i wneud ei hun yn daclus, yn enwedig ei gwallt. 'Dos yn ôl i dy wely, mi a' i cyn i'w ddyddiau ddod i ben!' meddai Gwyn wrth Mari. Roedden nhw'n dîm da. Tristwch mawr i Gwyn fu colli ei Fari annwyl ond mae ganddo deulu cariadus yn gofalu amdano. Dylem werthfawrogi pob eiliad yng nghwmni cymdeithion annwyl.

7

Hyfforddiant pellach i fynd yn feddyg ymgynghorol

HAP A DAMWAIN fu cyfarfod yr Athro Charles Wells, Lerpwl, yng Ngholeg Brenhinol Lincoln's Inn Fields yn Llundain. Fe'm hargyhoeddodd i fynd ato i Lerpwl i gael hyfforddiant pellach yn ei adran ef yno. Cefais fy mhenodi'n swyddog llawfeddygol preswyl yn y Liverpool Royal Infirmary, gan gydweithio'n agos â Howell Hughes, athro a llawfeddyg o Gymro o Ynys Môn. Daeth yn fentor a chyfaill i mi.

Ond ar ôl derbyn hyfforddiant mewn llawfeddygaeth gyffredinol yno am bron i dair blynedd, un diwrnod, yng nghyntedd yr ysbyty, cefais fy nghyfarch gan Norman (Nobby) Roberts a ofynnodd i mi a fyddai gennyf ddiddordeb bod yn llawfeddyg orthopedig. Ar ôl trafod gyda Meg, derbyniais ei gynnig a dechrau hyfforddi yn Lerpwl a Chroesoswallt, dwy ganolfan orthopedig arbenigol Prydain. Roedd y blynyddoedd hynny'n rhai cyffrous a theimlwn innau'n gartrefol iawn yno.

Ar ôl ennill cymrodoriaeth a dod yn feistr yn y maes orthopedig, yn ogystal ag ennill Gwobr y Cyfarwyddwr, teimlwn fy mod yn barod i wynebu'r byd. Un diwrnod yn y *British Medical Journal* gwelais hysbyseb swydd meddyg ymgynghorol yn y Rhyl ac Abergele. Gofynnais i Nobby am ei gyngor, gan ddweud fy mod yn awyddus i ddychwelyd i Gymru'n llawn amser. Cefais ateb diflewyn-ar-dafod ganddo: 'You're a b***** fool. You should stay here and rise to the top. Go home to that wife of yours, she'll talk sense.' A dyna a wneuthum. Yna dychwelais at Nobby. 'I still want to go home.' Fe atebodd yntau, 'You *are* a b***** fool, but I'll support you.' Ac felly dechreuais ar y gwaith unig o fod yn feddyg orthopedig ymgynghorol yn y Rhyl ac Abergele. Yn ddiweddarach daeth Patrick Corkery, Joe Lewis, Albani Pal ac eraill i ymuno â mi, yn ogystal ag eraill ar hyfforddiant o Groesoswallt. Roedd sefydlu a datblygu uned orthopedig yn hwyl garw. Fy anesthetyddion yn y dyddiau cynnar hynny oedd Nancy Faux, Buddug Owen, Gwyneth Roberts, Harold Bell, Philida Frost a Goronwy Owen – pob un ohonynt yn gyd-weithwyr ardderchog.

Yn yr Ysbyty Coffa, Sister Mary Crawshaw oedd 'brenhines' y theatr a Gwilym yn ddirprwy triw iddi. Roedd hi wedi bod yn uwch-gapten yn y fyddin ac roedd hi'n ddraig o ddynes. Norah (Nod) Davies o Lerpwl oedd yr ysgrifenyddes.

Fy nghyd-weithwyr llawfeddygol cyffredinol yn y Rhyl oedd Owen Daniel, fy nghyfaill agos Maurice Jonathan, ac arloeswr llawfeddygaeth yng ngogledd Cymru, Ifor Lewis, a ddeuai'n wreiddiol o Fyddfai. Roedd o'n Gymro i'r carn. Byddai ei wraig, Nancy, yn paratoi te inni tra oeddem ni'n trafod hanes a llenyddiaeth Cymru.

Heddiw, gyda'r holl ddatblygiadau yn y Gwasanaeth Iechyd Cenedlaethol, mae'r uned honno a sefydlais i flynyddoedd yn ôl yn y Rhyl yn cyflogi tua wyth meddyg orthopedig, sy'n brawf sicr o'r oes yr ydym yn byw ynddi.

Ar ôl bwrw prentisiaeth yng Nghroesoswallt gyda'm mentor, a ddaeth yn ddiweddarach yn gyd-weithiwr i mi ym maes afiechydon plant a llawfeddygaeth y cefn, yr Athro Robert Roaf, roedd hi'n naturiol i mi barhau i weithio yn y maes hwnnw yn Ysbyty Plant Alder Hey – ac i raddau llai yn y Royal Liverpool Hospital ac yn Walton – ar ôl dychwelyd i Lerpwl yn ddiweddarach. Sefydlais Uned Orthopedig Robert Jones er cof am y llawfeddyg o fri sy'n cael ei gydnabod heddiw fel sylfaenydd llawfeddygaeth orthopedig ym Mhrydain a'r gŵr a sefydlodd y Gymdeithas Orthopedig Brydeinig, gyda chysylltiadau clòs yng Ngogledd America ac Ewrop. Gartref gofalodd am y gweithwyr a anafwyd wrth adeiladu Camlas Llongau Manceinion ac ef oedd pennaeth y Gwasanaethau Meddygol yn ystod y Rhyfel Byd Cyntaf. Roedd o'n ŵr egnïol ac yn gymeriad graslon. Fy arwr!

***

Roeddwn i'n hynod ffodus ar ddiwedd y 1960au o gael y cyfle i gydweithio'n agos â'r cymeriad gwrol hwnnw, Syr John Charnley. Bu'n fraint bod ymysg y llawfeddygon cyntaf i gael defnyddio techneg Syr John o ddefnyddio clun artiffisial y tu allan i'w ganolfan ragoriaeth yn Ysbyty Wrightington. Roeddem wedi paratoi ystafell awyr bur gaeedig (a elwid yn Dŷ Gwydr) yn Ysbyty Abergele er mwyn medru cyflawni llawdriniaethau o'r fath.

Roedd gen i dîm gwerth chweil yno, yn hynaws a pharod bob amser. Mae'n rhaid i mi enwi tri a fu'n gefn eithriadol i mi. Yn gyntaf, fy mhrif nyrs, Emlyn Roberts. Deuai'n wreiddiol o Rydyclafdy ger Pwllheli ac roedd yn gweithio yn Lerpwl pan lwyddais i'w ddarbwyllo i ymuno â mi yn y gwaith o sefydlu'r uned yn Abergele. Bu'n bennaeth nyrsio am flynyddoedd maith ac roedd hi'n bleser cydweithio ag Emlyn a'i dîm. Roedd Gwyn Evans, pennaeth y theatr lawfeddygol, yn arlunydd dawnus ac mae gen i sawl un o'i wawdluniau ar waliau fy nghartref. Roedd Billie Needham, uwch-arolygydd nos yr ysbyty, yn gymeriad a hanner ac wrth ei bodd â rasio ceffylau. Hi oedd cyfaill golff Meg. Mae'n dal i chwarae golff a hithau bron yn 100 oed. Dyna ichi hogan!

Cofiaf fynd â'm tîm o feddygon, nyrsys ac ysgrifenyddesau am dro i fyny Moel Siabod un diwrnod. Roedd gan Gwyn Evans becyn o rwymynnau a sblintiau rhag ofn i rywun gael damwain. Ond wir i chi, fo ei hun a lewygodd ac fe beidiodd curiad ei galon. Gyrrwyd dau fyfyriwr i westy Gruff, fy mrawd, i ymofyn cymorth. Galwyd ar yr Awyrlu ac fe ddaeth hofrennydd cyn bo hir.

Codwyd Gwyn i'r hofrennydd a'i gludo i'r ysbyty yn y Rhyl ac fe fynnodd y peilot fod meddyg yn teithio gyda'r claf. Felly bu'n rhaid i minnau hefyd gamu ar yr hofrennydd. Yn ystod y daith honno synnais weld faint o lynnoedd mynydd a llynnoedd sydd yng Ngwynedd. Erbyn inni gyrraedd, ac er mawr ryddhad i mi, roedd Gwyn wedi dod ato'i hun.

Roeddwn i'n pryderu ynghylch costau'r alwad hofrennydd honno. Euthum at bennaeth y sgwadron gan egluro mai fi oedd wedi trefnu'r trip blynyddol i'm cyd-weithwyr cydwybodol. Faint oedd arna i iddo, holais? Ar ôl meddwl am ennyd, atebodd, 'Ymarferiad di-dâl!' Dyna i chi ryddhad! Talu'r gymwynas yn ôl!

8

Ysbyty Robert Jones ac Agnes Hunt, Gobowen

MAE'N RHAID I mi sôn am Ysbyty Orthopedig Robert Jones ac Agnes Hunt yng Nghroesoswallt. Treuliais ddau gyfnod yn y ganolfan arbenigol hon yn ystod fy ngyrfa. Secondiad blwyddyn o Lerpwl oedd y cyntaf, a minnau'n gweithio fel prif swyddog preswyl. Flynyddoedd yn ddiweddarach dychwelais yno i fod yn llawfeddyg ymgynghorol a bûm yno am ddeg mlynedd. Roedd hwnnw'n gyfnod dedwydd iawn yn fy mywyd.

Yn Baschurch, Swydd Amwythig, ymgasglodd gwraig ifanc o'r enw Agnes Hunt (1866–1948; hithau'n fethedig o ganlyniad i afiechyd ar ei chlun) blant oedd yn dioddef o anableddau i'w chartref. Roedd nifer ohonynt yn dioddef o dwbercwlosis, polio a gwaeledd parhaol a byddai hithau'n eu nyrsio yn yr awyr agored. Cynyddodd nifer y cleifion yn sydyn iawn, felly ar ôl cynnal trafodaethau, symudwyd pawb i safle'r ysbyty presennol yng Nghroesoswallt.

Roedd Agnes yn meddu ar bersonoliaeth gref ac ymhen y rhawg darbwyllodd y llawfeddyg enwog o Lerpwl, Robert Jones (1857–1933), i ymweld â Chroesoswallt i archwilio ei chleifion. Byddai ei gi yn cadw cwmni iddo bob amser. Pe bai angen llawdriniaeth ar un o'r plant caent eu rhoi ar wagen a'u cludo i orsaf drenau Gobowen gerllaw ac yna'u hanfon mewn trên a chwch i'r Royal Southern Hospital yn Lerpwl. Yno byddai Robert Jones yn eu disgwyl. Ond ar ôl tân trychinebus yn y wardiau awyr-agored yng Nghroesoswallt ar ôl y Rhyfel Byd Cyntaf, byddai Syr Robert a'r Fonesig Agnes (erbyn hynny) yn gwahodd llawfeddygon o Fanceinion, Lerpwl, Birmingham, Caerdydd a hyd yn oed o Lundain i ymweld ag Ysbyty Croesoswallt bob mis.

Yn ddiweddarach, ac i drefniant mwy sefydlog, deuai meddygon ymgynghorol o drefi gororau gogledd a chanolbarth Cymru draw, a minnau yn eu mysg. Ar ôl cyfnod byr o dawelwch, pan oedd Bwrdd Ysbytai Birmingham yn teimlo bod Croesoswallt ormod ar yr ymylon ac yn ddiangen bron, trwy drugaredd daeth y safle arbenigol hwn yn ganolfan ragoriaeth genedlaethol a rhyngwladol. I ddau lawfeddyg arbennig yr oedd y diolch am hyn yn bennaf, sef Brian O'Connor a David Jaffray, a achubodd yr ysbyty rhag dod i ddiwedd ei oes. Bach yw hedyn pob mawredd.

Yr oedd, ac y mae o hyd, yn lle cyfeillgar iawn. Roedd pawb – y meddygon a'r merched glanhau fel ei gilydd – yn cydweithio fel un teulu mawr yn y dref hon ar y Gororau. Yr un fath â chanolfannau orthopedig eraill, sefydlwyd clinigau mewn trefi cyfagos er mwyn i dimau o'r ganolfan ymweld â chleifion yn eu milltir sgwâr a chael cefnogaeth y Gymdeithas Gyfeillion ffyniannus. Heddiw mae'r rhan fwyaf o waith y meddygon ymgynghorol yn digwydd yng Nghroesoswallt, gan fod y cyfleusterau diweddaraf yno a phob cyfarpar ar gyfer llawdriniaethau cymhleth. Byddai Robert ac Agnes yn falch iawn o'r hyn a sefydlwyd ganddynt.

Rwy'n pwysleisio'r awyrgylch gartrefol am ein bod ni'n cydweithio fel uned y tu allan i'r trefi mawr. Felly byddem yn creu ein difyrrwch ein hunain, er enghraifft y pantomeim Nadolig, dawnsfeydd a gemau hoci rhwng y staff, y nyrsys a'r ffisiotherapyddion. Roedd gennym gôr meibion hyd yn oed. Uchafbwynt yr wythnos waith oedd dydd Gwener pan fyddai ymwelwyr o dramor yn mynd o amgylch yn aml yn y bore. Yna caem ginio gyda chynhadledd i ddilyn dan ofal y myfyrwyr ifanc oedd yn hyfforddi. Gyda'r nos byddem yn ymweld â thafarnau lleol cyn dychwelyd i'r ysbyty lle byddai'r gogyddes, yr annwyl Mrs James, wedi paratoi swper o gig oen Cymru. Yn ddiweddarach byddai'r meddygon yn ymgasglu o amgylch y bar Mess i ganu a chwarae gêm arbennig o'r enw 'Oswestry Billiards' – a dyna beth oedd hwyl! Diwrnod llawdriniaethau oedd dydd Sadwrn, o fore gwyn tan nos. Dim sôn am orffen am bump o'r gloch. Rydym yn cynnal aduniad yr 'Old Oswestrians' bob blwyddyn i athrawon, hen fyfyrwyr o bell ac agos a'r rhai sy'n hyfforddi heddiw. Rwyf i yn gyn-lywydd ac wedi cael y fraint o draddodi'r ddarlith goffa.

Rwyf wedi crwydro braidd erbyn hyn. Yn achlysurol byddai'r meddygon yn cael gwahoddiad i giniawa yn nhŷ'r nyrsys. Arferwn edmygu'r murluniau hardd ar y waliau yno. Gweithiau Mildred Eldridge oedd y rhai hynny, sef gwraig R. S. Thomas, y bardd. Enw'r murluniau oedd 'Dawns Bywyd' ac roeddent yn amhrisiadwy. Rai blynyddoedd ar ôl i mi adael Croesoswallt, dychwelais yno i weld y gwaith celf eiconig hwn, ond er mawr siom i mi roedd peiriannau meddygol yn amharu ar sut yr oedd y murluniau'n cael eu harddangos. Gwylltiais a mynd i siarad â dwy wraig, sef llyfrgellydd yr ysbyty a chadeiryddes y Gymdeithas Gyfeillion. O ganlyniad i'r sgwrs fe dynnwyd y murluniau er mwyn eu diogelu. Ar ôl siarad â llyfrgelloedd ac amgueddfeydd yng Nghymru, cawsom gartref da i'r trysorau hyn ym Mhrifysgol Glyndŵr yn Wrecsam, heb fod nepell o'u cartref gwreiddiol yng Nghroesoswallt. Erbyn hyn gall pawb eu gweld a'u mwynhau, ac rydym ninnau'n hynod falch o'n gwaith yn eu hachub. Ymddiheuraf am y truth hirfaith hwn ac am iddo fynd yn undonog braidd, am fod gennyf atgofion melys iawn am fy nghyfnod yn Ysbyty Orthopedig Robert Jones ac Agnes Hunt!

***

Dyna pryd y bu'n rhaid i mi wynebu cyfyng-gyngor mwyaf fy ngyrfa. Roeddem yn byw yn deulu dedwydd ym Mryn Helyg, ein cartref hyfryd yn Hen Golwyn. Roedd y plant yn prifio'n gyflym a minnau wrth fy modd yn gofalu am y Cymry oedd dan fy ngofal ac, wrth gwrs, roeddem yn mwynhau crwydro mynyddoedd Eryri yn ein hamser hamdden. Ond fe deimlai fy ymgynghorwyr yn Lerpwl y dylwn ddychwelyd i'r ddinas ac yn ôl i'r bywyd academaidd yno. Ni fedrwn i yn fy myw â phenderfynu'n synhwyrol beth i'w wneud ac unwaith eto roedd fy angor, sef Meg, yn garedig a chefnogol dros ben. Yn y diwedd, ar ôl trafodaethau maith, cytunodd y ddau ohonom y byddwn yn dychwelyd i'm hen goleg, fy *alma mater*. Prynasom dŷ yn West Kirby ond gan gadw'r tŷ yng ngogledd Cymru hefyd. Yn ystod y blynyddoedd hynny bu Meg druan yn byw dau fywyd a hynny'n gwbl ddi-gŵyn.

Flynyddoedd yn ddiweddarach aeth cyfaill agos iawn i mi, David Jones, drwy'r un profiad. Roedd yntau'n gwasanaethu'r gymdeithas yng ngogledd Cymru fel llawfeddyg orthopedig pan gafodd, un diwrnod, wahoddiad i ddychwelyd i'w hen goleg yn Llundain. Derbyniodd swydd uchel iawn yn gofalu am blant oedd yn dioddef o anableddau yn Ysbyty Great Ormond Street. Roedd yntau hefyd yn ei chael yn anodd meddwl am adael Cymru i fynd i fyw mewn dinas fawr ac fe ddaeth ataf i ofyn am gyngor. Dyfynnais innau Shakespeare: 'There is a tide in the affairs of men which, taken at the flood, leads on to fortune.'

Penderfynodd fynd amdani ac o ganlyniad i'w benderfyniad fe'i penodwyd i swyddi pwysig iawn yn ei faes. Nid edifarhaodd o gwbl. Y grymoedd allanol wnaeth y penderfyniad yn ei le. Yn rhinwedd ei swydd newydd bu'n rhaid iddo yntau, fel finnau, deithio'n aml i wledydd oedd yn datblygu, i ofalu am blant gydag anableddau. Daliodd swyddi uchel yn y Deyrnas Unedig a dod yn aelod o gyngor Coleg Brenhinol y Llawfeddygon ac yn Llywydd y Gymdeithas Orthopedig Brydeinig. Do, gwnaeth ddewis doeth.

O'm rhan i, roedd posibilrwydd y byddwn i'n cael fy ethol i Gadair Orthopedig Prifysgol Lerpwl. Ond roedd hynny i ddigwydd yn ddiweddarach. Dychwelais i'r ddinas fel darlithydd a oedd yn gysylltiedig â'r brifysgol, gan ddod yn gyfrifol hefyd am ofal plant ac oedolion ifanc yn Ysbyty Plant Alder Hey a'r Liverpool Royal Infirmary. Golygai hyn gynnal clinigau yn y ddinas mewn ysgolion ar gyfer plant dan anfantais, ac ar ambell fore Sul byddwn yn ymweld â rhieni yn Ysgol y Gogarth, Llandudno. Pe byddai plentyn yno angen llawdriniaeth, trefnid i fynd ag ef i Ysbyty Alder Hey. Roedd hyn yng nghyfnod yr epidemig *spina bifida*, cyn i asid ffolig ddechrau cael ei ddefnyddio.

Byddwn yn edmygu dewrder y rhieni oedd yn gorfod gwneud penderfyniad anodd ynghylch rhoi llawdriniaeth fawr i'w plentyn neu beidio. Mae dwy enghraifft o hyn yn dod i'm cof. Daeth rhieni o Norwy, Herr a Fru Meinich, â'u merch fach Evelina i'm gweld un tro. Roedd hi'n dioddef o gamffurfiad asgwrn cefn cynenedigol. Wedi ystyried yn ddwys penderfynwyd y byddai llawdriniaeth fawr yn rhy beryglus ond fe ddychwelodd y teulu ymhen rhai misoedd mewn anobaith llwyr gan fod y camffurfiad yn gwaethygu. Y tro hwn daethant â thaid y ferch fach gyda nhw hefyd. Roedd y taid yn ddeintydd i frenin Norwy ac roedd o hefyd yn berchen fflyd o longau oedd yn cludo ceir o Siapan i Ewrop. Oedd, roedd Herr Vefling yn ŵr cefnog iawn! Ymbiliodd y teulu'n daer arnom i roi llawdriniaeth i'r ferch fach, er y rhybuddion pendant. Yn y diwedd fe gytunwyd y byddem yn rhoi dwy lawdriniaeth i Evelina: yn y gyntaf byddem yn cyrraedd at yr asgwrn cefn drwy'r fynwes ac yna, petai'n dod ati'i hun, gallem gywiro'r nam o'r cefn. Er mawr ryddhad i bawb, bu'r ddwy lawdriniaeth yn llwyddiannus. Roedd y rhieni mor ddiolchgar ac fe ddaethom yn gyfeillion agos. Erbyn hyn rydym yn galw'r fechan yn Miss Norway. Dros y blynyddoedd cafodd Meg a minnau ein gwahodd i gartref y Meinichs, gyda'r esgus ein bod yn mynd i astudio cefn y ferch fach. Byddem yn cael triniaeth frenhinol, yn cael pysgota ar yr afon ger y tir hela brenhinol, saethu *ptarmigan* ar yr Hardangerfjord a sgïo traws gwlad yn Geilo, gan aros mewn *hytte* (caban mynydd) yno. Dyddiau da! Rydym yn dal i gadw mewn cysylltiad â'n gilydd hyd heddiw.

Mae gen i gof byw iawn hefyd am fachgen gydag anableddau cymhleth iawn, gan gynnwys camffurfiad sgoliosis cynyddol. Cawsom ganiatâd dewr y rhieni i roi llawdriniaeth iddo, er y peryglon. Aethom ati felly, ond bu cymhlethdodau; fe beidiodd calon y bachgen â churo ac yn ystod y nos ar ôl y llawdriniaeth bu'n rhaid i mi dynnu'r rhodenni, gan achosi ychydig o nam ar y cywiriad. Unwaith yn rhagor, roedd y rhieni'n ddewr ac yn cydsynio i bopeth a wnaem. Ond, er tristwch mawr, cafodd y teulu brofedigaeth enbyd pan fu farw'r fam ifanc yn ddisymwth. Bellach, mae'r bachgen hwnnw'n ddyn iach ac yn ddramodydd ac awdur llwyddiannus. Fel arfer, oherwydd gofynion proffesiynol y swydd, ni chaiff llawfeddygon ddatblygu perthynas rhy glòs gyda'r cleifion a'u teuluoedd. Ond yn y ddau achos uchod, fedrwn i ddim llai na dod yn gyfeillion am oes gyda'r teuluoedd. Pobol o gig a gwaed ydym ninnau lawfeddygon hefyd, wedi'r cyfan!

Yr wyf wedi dysgu gwersi sylfaenol yn ystod fy mywyd fel meddyg. Mae'n werth i mi danlinellu un yma. Un bore dydd Gwener roeddwn i a'm cyd-weithiwr a chyfaill oes, Terence McSweeney o Gorc, yn mynd gyda'n gilydd o amgylch ward yng Nghroesoswallt a gosgordd o ymwelwyr pwysig yn gwmni i ni. Er mawr glod iddo, nesaodd Terence at wely hen wreigan oedd â golwg go druenus arni. Eisteddodd Terence ar erchwyn ei gwely, gafael yn ei llaw a dechrau siarad â hi. Cododd ei law chwith gan ofyn i'r cofrestrydd am sigarét wedi ei thanio, gan ddal ati i sgwrsio. Roedd wyneb yr hen wreigan yn werth ei weld. Fe wnaeth y sgwrs honno fwy o les iddi nag unrhyw lawdriniaeth gymhleth. Fodd bynnag, heddiw bydd llawfeddygon ifanc yn nesáu at waelod gwely eu cleifion gyda chyfrifiadur yn eu llaw, ac nid ydynt hwy nac ysgrifenyddesau a nyrsys yn treulio amser yn sgwrsio gyda'r cleifion. Mae hynny'n drist iawn. Dylent gofio'r hen ddywediad, 'Rhoi gwên deg i rai mewn gwendid.' Gall meddyg ifanc ddysgu llawer o'r ymateb a gaiff.

9

Academia

Ers dyddiau cynnar fy ngyrfa feddygol bu gennyf ddiddordeb mewn addysgu, er fy mod i fy hun yn dal i dderbyn hyfforddiant yn Lerpwl a Chroesoswallt. Roeddwn yn mwynhau gweithio gyda myfyrwyr ifanc, yn eu paratoi ar gyfer gyrfa fel meddygon, nyrsys neu ffisiotherapyddion. Mae addysgu yn gweithio'r naill ffordd a'r llall, wrth gwrs, a'r athro ei hun yn cael ei sbarduno gan feddyliau ifanc – sy'n llesol i'r mentor a'r disgybl yn eu tro. Fel y dywedodd yr anatomegydd a'r ffisigwr mawr o'r Alban, William Hunter (1718–83), 'To acquire the knowledge and communicate it to others has been the pleasure and ambition of my life.' Rwyf innau'n cytuno'n llwyr ag ef.

Fy hoff ddull dysgu i oedd gwaith un-i-un neu weithio gyda grwpiau bach yn mynd o amgylch wardiau, mewn clinigau ac mewn theatrau llawfeddygol. Ond roedd yn rhaid rhoi darlithoedd ffurfiol a symposia hefyd, yn ogystal â gwneud gwaith ymchwil i hyrwyddo rhagoriaeth yr adran. Un o'm meysydd ymchwil i oedd astudio sut gellid trawsblannu meinwe o un anifail i anifail arall heb iddo gael ei wrthod; un arall o'm meysydd astudio oedd geneteg afiechydon plant.

Treuliais nifer o flynyddoedd yng Nghadair Adran Orthopedig Prifysgol Lerpwl ac roedd cyfrifoldebau a gofynion mawr ynghlwm wrth y swydd hon. Cymerai'r gwaith fy amser i gyd ond roeddwn i'n mwynhau pob eiliad. Ystyrid Prifysgol Lerpwl yn gartref i arbenigedd orthopedig, felly penderfynasom ychwanegu cwrs hyfforddi Meistr i fyfyrwyr ôl-radd o Brydain a thramor. O ganlyniad i hynny deuthum yn gyfarwydd ag arbenigwyr yn y maes o bedwar ban byd. Un gorchwyl dymunol iawn fu cynrychioli Coleg Brenhinol y Llawfeddygon ar Gyngor Prifysgol Lerpwl. Cefais gyfle i gyfarfod academyddion o feysydd eraill gwahanol i'm hun i hefyd. Fe'm gwnaeth yn ymwybodol o gymhlethdodau bywyd prifysgol a pha mor bwysig oedd addysg hyd at lefel gradd ac ôl-radd.

Un rhan o'm bywyd academaidd oedd teithio i bedwar ban byd fel darlithydd gwadd ac arholwr myfyrwyr israddedig. Bûm mewn sawl prifysgol, gan gynnwys rhai yn Malaysia, Hong Kong, Singapore, Jakarta, India, Brasil a Sbaen. Un daith yr wyf yn falch ohoni yw'r un pan gefais fynd i wledydd arfordir dwyreiniol Affrica yn Athro Lipmann-Kessel. Bu'r teithiau hyn yn fodd i gyfoethogi fy ngwybodaeth am fannau pell i ffwrdd. Bonws bach arall oedd y cyfle a gâi Meg i ddod gyda mi weithiau, i fwynhau diwylliannau gwledydd dieithr.

Am nifer o flynyddoedd bûm yn llywydd pwyllgor derbyniadau'r ysgol feddygol. Byddai darpar fyfyrwyr ifanc yn cael eu cyfweld er mwyn penderfynu pa mor addas oeddent i astudio meddygaeth. Dysgais lawer iawn am seicoleg pobl ifanc yn eu harddegau ac awydd ymgeisydd i lwyddo. Nid oes rhaid bod yn wyddonydd athrylithgar i fod yn feddyg da a thosturiol. Gwelsom rai ymgeiswyr galluog iawn a fyddai'n fwy cymwys i fod yn wyddonwyr. Bryd hynny byddai merched yn perfformio'n well na bechgyn gan fod eu datblygiad biolegol yn aeddfetach nag eiddo'r bechgyn.

Roedd aelodau'r pwyllgor derbyniadau yn cynnwys meddyg, uwchreolwr nyrsio, uwchfyfyriwr meddygol a seicolegydd. Mae'n rhaid i mi sôn am un digwyddiad doniol. O'n blaenau eisteddai llanc ifanc difrifol yr olwg a oedd wedi cael adroddiad ysgol gloyw, yn barod i gael ei gyfweld ar gyfer dod i astudio meddygaeth. Ar ôl gofyn y cwestiynau arferol, holodd y meddyg ef, 'Beth am chwaraeon?' Atebodd y bachgen, 'Arferwn chwarae rygbi ond mi gefais broblem yn fy nghefn. Euthum i weld ceiropractegydd a llawfeddygon orthopedig wedyn ond doedden nhw'n dda i ddim!' Ar ddiwedd y cyfweliad, wrth ysgwyd llaw yr ymgeisydd, ceisiodd y meddyg dawelu ei feddwl ynghylch y cyfweliad, ond gan ychwanegu bod y cadeirydd (sef fi) yn athro llawfeddygaeth orthopedig. Aeth wyneb y bachgen yn wyn fel y galchen ond fe gafodd ei dderbyn i astudio. Tybed a lwyddodd i wireddu ein disgwyliadau?

Mae yna ddywediad, 'Cwsg yw bywyd heb lyfr.' Rwyf i wedi aros yn effro ac fe fu'n orfodaeth arnaf ar hyd fy mywyd academaidd i ddarllen llyfrau a thestunau meddygol. Yn ogystal â hynny, mae ysgrifennu erthyglau a gwerslyfrau wedi bod yn waith diddorol iawn. (Gweler y manylion yn yr Atodiadau.)

Dyna ddigon am academia! Gwell digon na gormod. Gadewch inni droi yn awr at genhadaeth fy mywyd, gofal clinigol i blant ac oedolion ifanc, ac, yn bwysicach na dim byd arall, bywyd y teulu.

10

Coleg y Llawfeddygon a Chymdeithas Orthopedig Prydain

YN SGIL FY nghyswllt â'r corff mawreddog hwnnw, Coleg Brenhinol Llawfeddygon Lloegr, cefais gyfleoedd i gwrdd â llawfeddygon amlycaf Prydain am bron i ddeng mlynedd. Roedd hyn yn fraint ond yn waith caled hefyd, gyda chyfrifoldeb dros gadeirio pwyllgorau amrywiol ac archwilio hyfforddiant llawfeddygol yn y DU ac ar draws y byd. Yn ystod fy nghyfnod yn y swydd hon roedd rhywfaint o anesmwythdra ymhlith llawfeddygon yng Nghymru. Roeddent o'r farn y dylid galw'r coleg yn Goleg Brenhinol Llawfeddygon Lloegr *a Chymru*. Roeddwn yn cytuno'n llwyr â hyn, wrth gwrs, ond byddai wedi bod yn ofynnol i'r Cyfrin Gyngor gadarnhau unrhyw newid. Penderfynodd y Cyngor y dylid cael bwrdd i gynrychioli Cymru yn y Coleg Brenhinol ac, er mwyn tawelu unrhyw gŵynion pellach gennyf fi o bosibl, cafodd darlith eponymaidd ei sefydlu yn fy enw i gan Gymdeithas Orthopedig Cymru.

Ar achlysur arall, yn un o gyfarfodydd Cyngor Coleg Brenhinol y Llawfeddygon, cefais fy nirprwyo i ymweld â Gwlad Thai, India a Phacistan. Cafodd yr ymweliadau hyn eu trefnu i annog cydweithrediad addysgol a chymdeithasol ar draws y byd. Cafodd fy ngallu trefniadol ei herio i'r eithaf gan y daith hon. Rwy'n cofio trefnu ymweliad i gwrdd â brenin Gwlad Thai a oedd, fel mae'n digwydd, wedi gofyn am gyngor gan gyd-weithiwr am y driniaeth orau ar gyfer ei dorllengig (*hernia*) a'i gymalwst (*gout*). Rydym i gyd yn fodau dynol, wedi'r cwbl! Ar ymweliad arall a drefnwyd i ranbarth Peshawar ym Mhacistan, cefais wahoddiad i fynd ar drip i fyny Bwlch Khyber ar y ffin ag Afghanistan. Roedd y daith hon yn ddigon i'ch sobreiddio!

Roedd gweithgareddau Coleg Brenhinol y Llawfeddygon yn ddiddorol iawn, ac roedd ymdeimlad o hanes yn bodoli, a chyfeillgarwch yn ystod y ciniawau a'r dyletswyddau teithio. Yn ddiweddar, cafodd Cymdeithas Uwchgymrodyr y Coleg ei sefydlu, ar ein cyfer ni, yr henwyr. Yn un o gyfarfodydd cyntaf y gymdeithas hon, rhoddais ddarlith ar y llawfeddyg llynges lliwgar hwnnw o Gymru, David Samwell (neu Dafydd Ddu Feddyg o Nantglyn ger Dinbych), dan y teitl 'Roeddwn i yno!' Roedd David Samwell wedi bod ar fordeithiau'r enwog Capten James Cook i Fôr y De ac, yn wir, bu'n dyst i lofruddiaeth Capten Cook. Yn ddiweddarach yn ei fywyd bu David yn helpu i sefydlu Gorsedd y Beirdd gydag Iolo Morganwg ym Mryn y Briallu, Llundain. Roedd yn credu'n gryf yn y chwedl bod Tywysog Madog, yn oes Owain Gwynedd, wedi

Fy rhieni, Gruffydd a Laura Mary Owen.

Yn y pram gyda nyrs yn gofalu amdanaf, ger Glanllynnau.

Ar lin fy modryb Ellen yn Chwilog, 1922.

Fy nghartref pan oeddwn yn blentyn: Glanllynnau, Llanystumdwy.

Fy nhad, Gruffydd Owen, Glanllynnau, yn dangos ei gaseg wedd, Mena, a fu'n bencampwraig, yn Sioe Pwllheli.

Fy mrawd, Bill Hughes Owen.

Yncl Owen Robert Hughes, Anti Mary, Laura (fy mam), Anti Nell Jones, Talsarn, 1964.

Fy ngwraig Meg mewn iwnifform nyrs yn ystod ei chyfnod yn yr Awyrlu Brenhinol yn niwedd y 1940au.

Diwrnod ein priodas. Y tu allan i'r capel yn Wooler, Northumberland, Tachwedd 1949.

Cyn mynd ar fwrdd *Media*, un o longau mawr Cunard oedd yn teithio o Lerpwl i Efrog Newydd.

Gyda'n plant, Gilly a Dai.

Gilly a Dai ychydig yn hŷn yn awr.

Y teulu Owen a Shiani'r ci ym Mryn Helyg, Holyrood Avenue, Bae Colwyn.

Cael Gwobr y Cyfarwyddwr M.Ch. (Orth.) gan yr Athro B. McFarland, 1953.

Staff theatr yn Ysbyty Abergele.

Ein trip blynyddol i Eryri: nyrsys, ffisiotherapyddion, myfyrwyr meddygol, ysgrifenyddesau ac ambell un arall!

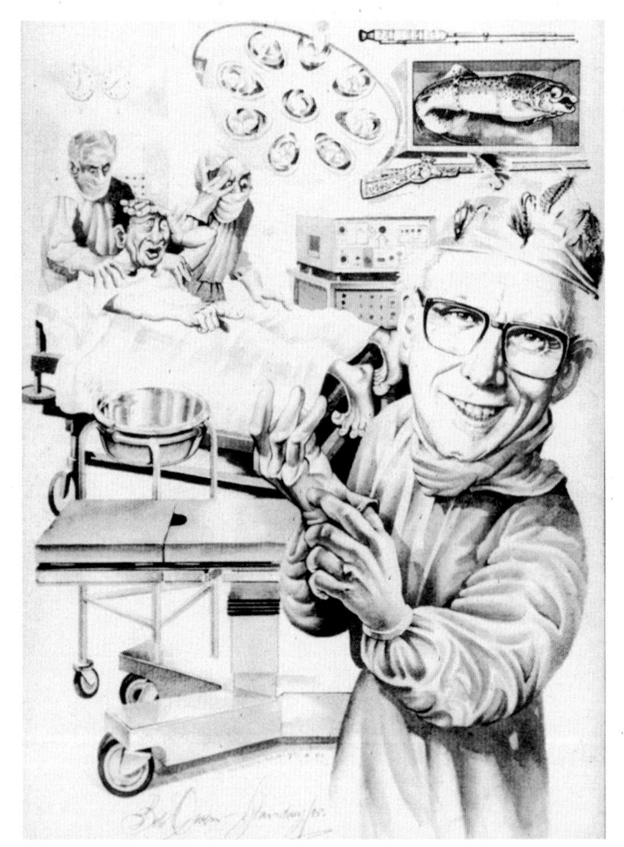

Mae traed y dyn yma'n wynebu'r cyfeiriad anghywir!

Mae fy ngwaith wedi mynd â mi i lefydd pell iawn. Sylw Gwyn Evans ym 1967: "Mae wedi bod fel'na ers iddo glywed ei fod yn mynd i Nigeria."

Rhai o'm cyfeillion yn Salvador, Brasil.

Traddodais ddarlith yn Ysbyty Bir yn Kathmandu yn 2012.

Cwrdd â rhai o gyfeillion Buland Thapa yn Kathmandu ar yr un ymweliad.

Codi arian ym Modelwyddan tuag at Dŷ Robert Owen yn Ysbyty Broadgreen, Lerpwl, 1996.

Mae bron ugain mlynedd bellach ers i Bengie agor Tŷ Robert Owen gerbron cynifer o gefnogwyr.

Un o'm hoff ddiddordebau trwy gydol fy oes fu pysgota. Yn y fan yma rwyf newydd ddal pysgodyn mawr iawn!

Roeddwn wrth fy modd yn hwylio hefyd – yn Norwy gyda Meg a dau gyfaill.

Pysgota yn Norwy gyda Betty, Carsten, Urig?, Gwyn, Herman, Mary a Meg.

Rwy'n caru ceir cyflym hefyd! Dyma fi gyda fy Porsche hyfryd, y tu allan i Fryn Celyn.

Braint oedd cael fy anrhydeddu ag OBE yng Nghastell Caerdydd.

Dyma fi fel Llywydd Cymdeithas Hanes Meddygaeth Cymru.

Fy ngwraig brydferth, Meg.

Ein mab David gyda'i wraig Heather.

Ein merch Gilly gyda'i gŵr David.

Dr Amanda gyda'i rhieni balch Barry ac Ann yn Lerpwl.

Dathlu fy mhen blwydd yn 90 gyda Meg a'm hwyrion.
O'r chwith i'r dde: (cefn) Gareth, Huw, Rob; (blaen) Rhys ac Owen.

Ymlacio ym mis Mawrth 2015.

hwylio'r Iwerydd o Landrillo-yn-rhos, ac wedi sefydlu gwladfa i fyny afon Missouri. Gelwir yr hanes hwn yn 'Helfa Padouka'. A oedd yn gywir? Mae'r drafodaeth yn parhau.

Yr wyf hefyd yn falch o'r gefnogaeth a roddais i Gymdeithas Orthopedig Prydain, sy'n gyfrifol am fonitro safonau uchel mewn hyfforddiant a gwaith ymchwil ôl-raddedig ym Mhrydain. Ar ôl gwasanaethu ar ei Chyngor hefyd, cefais yr anrhydedd o fod yn is-lywydd y Cyngor. Cefais fy ethol yn llywydd cynnar Cymdeithas Sgoliosis Prydain hefyd, ac yn gymrawd Cymdeithas Ymchwil Sgoliosis America. Roedd y cyfnod hwn yn gyffrous iawn, ac rwy'n edrych yn ôl arno'n hiraethus.

***

Mewn bywyd, mae'n bwysig cael mentoriaid gwahanol i'n rhieni i'n tywys ni pan ydym yn ansicr ynglŷn â pha lwybr i'w ddilyn. Rwy'n teimlo dyletswydd i sôn am y gwŷr hynny y bu eu cyngor yn ddylanwad mawr arnaf: Goronwy Thomas, gŵr doeth iawn o Ddinbych, a'm hathro ôl-raddedig yn Lerpwl; Norman Roberts, a lwyddodd i'm darbwyllo i ymuno â maes orthopedeg; a'r Athro Robert Roaf, fy athro a'm cyd-weithiwr yn ddiweddarach, Crynwr tawel a wnaeth fy nenu i faes llawfeddygaeth yr asgwrn cefn. Hefyd, hoffwn grybwyll Syr Henry Osmond (Nobby) Clark a Syr Reginald (Reggie) Watson Jones, y ddau o Lundain a Chroesoswallt. Bûm yn gweithio gyda'r ddau ohonynt ac roeddwn yn gwerthfawrogi eu cyngor a'u hanogaeth yn fawr iawn. Yr oeddwn yn ffodus iawn!

Roedd gan Syr Reginald bersonoliaeth hudolus. Ef oedd llawfeddyg y Frenhines. Un o'm dyletswyddau fel swyddog llawfeddygol preswyl yng Nghroesoswallt oedd casglu cleifion pan oedd Syr Reginald yn ymweld yn achlysurol o Lundain i roi cyngor. Yr oedd yn cyrraedd yn hwyr yn aml; roedd cleifion yn cwyno, ond roedd bob amser yn llwyddo i'w swyno i gyd.

Pan oeddwn yn hyfforddi llawfeddygaeth gyffredinol, cefais gefnogaeth gan fentor arall, Clifford Brewer, cyn-filwr yn rhyfeloedd Palestina ac Ymgyrch Anialwch El Alamein. Ar ddiwedd yr Ail Ryfel Byd dychwelodd Clifford i Lerpwl fel llawfeddyg cyffredinol ac athro. Roeddwn yn cael gwahoddiad ganddo'n achlysurol i gael cinio gydag ef yng Nghlwb Athenium. Roedd ein sgwrs yn aml yn troi at ei hanesion pan oedd yn gyfrifol am ysbyty milwrol ym Mhalestina. Y drws nesaf i'r ysbyty yr oedd gwersyll carcharorion rhyfel a oedd yn dal carcharorion Ffrengig Vichy, gyda llu o filwyr Ffrengig Rhydd yn eu gwarchod. Cododd terfysg, ac fe saethodd y llu o filwyr Ffrengig Rhydd y lluoedd Vichy yn eu coesau gyda gynnau peiriant. Roedd yn anodd symud y milwyr a oedd wedi'u hanafu yn ddiogel. Ond roedd Clifford yn cofio'r hen sblint Thomas, a addasodd er mwyn gallu amgáu'r goes gyfan mewn plaster. Defnyddiwyd y dechneg hon yn ddiweddarach yn anialwch gogledd Affrica, a chafodd ei alw'n sblint Tobruk. Ond ni soniwyd dim mai Clifford Brewer oedd wedi'i ddyfeisio. Yn hytrach, rhoddwyd y clod i'r swyddog a oedd yn gyfrifol am El Alamein. Ni soniwyd ychwaith am y ffaith bod Clifford wedi llwyddo i ddianc rhag yr Almaenwyr, nac am ei wasanaeth pum mlynedd yn y rhyfel, ac ni chafodd unrhyw gydnabyddiaeth ar ffurf unrhyw fath o fedal. Roeddwn yn credu bod hynny'n annheg, felly fe ysgrifennais i a chyd-weithwyr erthygl yn disgrifio gwasanaeth Clifford yn *The Surgical Journal* er mwyn unioni'r ffaith hon.

Mae Clifford yn 103 oed erbyn hyn ac mae'n dal i ffynnu. Ef yw'r llawfeddyg hynaf yn y DU heddiw. Pan fyddaf yn ei holi am ei iechyd mae'n dweud 'Mae'n dda, ond mae fy nghefn i 'di bygro, ond wnân nhw ddim rhoi llawdriniaeth i mi.' Nid bod hynny'n syndod yn ei oedran ef!

Rwyf eisoes wedi crybwyll yr anrhydedd o gael bod yn rhan o Ysgol Llawfeddygaeth Orthopedig Lerpwl. Crëwyd yr ysgol hon yn wreiddiol, wrth gwrs, yn sgil gwaith gwreiddiol meddygon esgyrn Môn: yn gyntaf, Evan Thomas, a fudodd i Lerpwl, ac yna ei fab, Huw Owen Thomas, ac yna fy arwr, Syr Robert Jones, gŵr arbennig iawn yr wyf wedi ei grybwyll eisoes.

Fe wnes i fwynhau ennyd byr o anrhydedd unwaith, pan gyfeiriodd un o'm cleifion ataf fel Syr Robert! Fe wnes i siomi'r claf drwy ddweud mai dim ond un o fyfyrwyr yr enwog Syr Robert oeddwn i, ond fy mod yn ymfalchïo yn y ffaith honno. Yn ddiweddarach cefais fy ethol i ymuno â Chlwb Ciniawa Robert Jones, clwb dethol iawn. Am rai blynyddoedd bûm yn Gofnodwr y clwb hwn. Rydym yn parhau i giniawa bob blwyddyn i anrhydeddu Syr Robert. I fod yn aelod, rhaid cael eich ethol ar eich teilyngdod, ar ôl cyfrannu at hyrwyddo orthopedeg ar y llwyfan rhyngwladol.

Gartref, roedd yr un oedd yn fy arwain bob amser, fy ngwraig Meg. Byddwn yn dweud wrthi'n aml bod gennyf syniad newydd gwych. Ei hateb bob tro fyddai 'Dim eto!' Byddwn fel arfer yn gwrando ar ei chyngor doeth. Ond nid bob tro – mae'r cyflwr 'byddardod dewisol' yn bodoli!

11

Teithio ymhellach

Fy ymweliad cyntaf â'r hyn a elwid ar y pryd yn Drydydd Byd oedd i dde-ddwyrain a gogledd Nigeria ym 1969. Roedd hyn yn ystod rhyfel llwythol Biaffra, a bûm yn gwasanaethu fel swyddog llawfeddygol cynghorol i Adran Datblygu Tramor Prydain, a oedd yn asesu ac yn delio â'r anafiadau erchyll a gafwyd yn ystod y brwydro. Roedd hyn yn agoriad llygad mawr i mi, oherwydd gwelais yr hyn y gallai dyn ei wneud i'w gyd-ddyn yn enw rhyfel, crefydd a goruchafiaeth genedlaethol.

Ar daith arall, i Mozambique y tro hwn, bu i mi ymweld â phentref lle'r oedd y llwyth gwrthwynebus wedi penderfynu sbaddu pob dyn yn yr ardal. Felly, deuthum yn ymwybodol, pan fo unrhyw un yn ceisio helpu mewn ardaloedd o wrthdaro ar draws y byd, mai dim ond unigolion neu grwpiau bach y gall eu cynorthwyo. Mae mor anodd dylanwadu ar lywodraethau, sy'n aml yn llygredig. Rwy'n edmygu'r sefydliadau hynny sy'n ceisio gwneud eu gorau i leddfu dioddefaint niferoedd mawr o ddioddefwyr gwrthdaro.

Mae'n ymddangos bod gwrthdaro yn rhemp. Hyd yn oed heddiw yng ngwlad hardd Nigeria, mae gwrthdaro rhwng y gogledd Islamaidd a'r de Cristnogol, gyda gwrthdaro rheolaidd yn enw crefydd. Er hynny, pan fydd rhywun wedi cael profiad o Affrica, mae'r cyfandir enfawr hwnnw yn dod yn rhan ohonoch. Felly, er gwell neu waeth, deuthum i ymwneud ag ardaloedd eraill o wrthdaro yno.

Yn Nigeria roedd bywyd ar wardiau'r ysbytai a'r campws amgylchynol yn anhrefnus, ond i mi, roedd yn bosibl ei oddef ac roedd yn aml yn ddifyr. Byddai perthnasau'n dod â bwyd i'r cleifion, a byddent yn eistedd yn goesgroes ar dir y campws, yn aml yng nghwmni fwlturiaid a barcutiaid. Yn gynnar yn y bore, byddai geifr yn llifo i mewn i dir yr ysbytai i fwyta coed ifanc. A phob bore byddai gweithwyr yr ysbyty yn eu herlid a'u hanfon yn ôl i'r gwylltir. Ond, er mawr ddifyrrwch i mi, erbyn y bore canlynol byddent yn dychwelyd, gan achosi anhrefn unwaith eto. Roedd hyn yn ddigwyddiad dyddiol. Er gwaethaf y rhyfel, yn rhyfeddol, ni welais unrhyw blant yn llwgu yn Nigeria, ond gwelais nifer fawr ohonynt a oedd yn dioddef malaria a chlefydau trofannol eraill.

Un o fy hoff ddyletswyddau oedd cynnal clinigau cyn-geni i famau ifanc. Ond yn anffodus, ar rai achlysuron, byddai'r fam druan yn dioddef genedigaeth hir yn y gwylltir, a oedd yn achosi marwolaeth y ffetws a necrosis rhwng pledren a chroth y fam, a fyddai'n arwain at anymataliaeth (*incontinence*) yn y fam. Yn aml byddai'r dynion yn penderfynu chwilio am wraig arall pan fyddai hyn yn digwydd. Yn ddiweddar, mae ysbytai ffistwla wedi'u sefydlu i atgyweirio'r difrod i feinweoedd merched ar ôl genedigaeth. Un o'r arloeswyr yn y maes hwn yw un o'm cyd-weithwyr, Miss Christine Evans, sydd, ar ôl ymddeol, wedi sefydlu ysbytai ffistwla yn Affrica a mannau eraill.

Yn ystod fy nghyfnod yn Ysbyty'r Frenhines Elizabeth yn Blantyre, Malawi, bûm yn aros ac yn gweithio gydag Ed Blair a'i wraig o Niagara Falls. Roedd Clybiau Rotari Rhyngwladol wedi cefnogi eu gwaith o geisio trechu parlys plant, a thua'r amser hwn cyflwynwyd brechlyn Salk. Roedd myfyriwr meddygol o'r enw Hopcroft gyda mi yn Malawi, a bu'r ddau ohonom yn teithio'r wlad, gydag Ed yn addysgu cymorth cyntaf sylfaenol i'r bobl leol a sut i ofalu am bobl wedi'u hanafu a phobl anabl. Rwy'n cofio eistedd ar lan Llyn Malawi un noson yn yfed cwrw oer gyda'r lleuad lawn uwch ein pennau. Dyna oedd pleser prin! Rwy'n meddwl yn aml beth ddigwyddodd i Hopcroft.

Nid oedd fy nhaith yn Nigeria a Chad yn waith caled i gyd; yn wir, rwy'n cofio sawl profiad difyr. Weithiau, ar ôl cwblhau dyletswyddau'r bore a bwyta cinio wedi'i baratoi gan Willie, ein cogydd, byddwn yn mynd i gael cyntun ar do Rhif 2, Medical Ave yn Kano, Nigeria. Unwaith, ar ôl deffro, gwelais ddau fwltur wrth fy ymyl, yn aros i mi drengi mae'n siŵr, er mwyn iddynt gael gwledd! Penderfynais ar ôl hynny na fyddwn yn mynd i gael cyntun ar y to! Mae pobl Nigeria yn ofnus iawn o nadroedd, a minnau hefyd. Ond os oedd neidr yn cael ei chanfod yng nghwrt y gwartheg Fulani, roedd yn rhaid i mi ymuno â'r pentrefwyr lleol i'w herlid.

Fy ngwarchodwr gyda'r nos yn Nigeria oedd gŵr bonheddig o'r enw Sergeant, ac roedd yn ŵr tal iawn, yn chwe throedfedd saith modfedd. Roedd wedi gwasanaethu gyda Reifflwyr Gorllewin Affrica, ac roedd yn falch iawn o hynny. Pan fyddwn yn cysgu byddai'n cerdded o amgylch y tŷ er mwyn atal unrhyw ladron proffesiynol, gyda llafnau rasel wedi'u cysylltu i wiail hir, rhag dwyn dillad ac eitemau eraill drwy'r ffenestri. Byddai unrhyw ymwelydd diarwybod yn wynebu'r perygl o gael anafiadau difrifol i ewynnau ei ddwylo. Bob bore byddai Sergeant ffyddlon yn aros amdanaf ar risiau'r byngalo gyda'r llygod mawr yr oedd wedi'u dal. Dywedai eu bod yn flasus iawn wedi'u potsio; roedd ei wraig yn eu coginio yn y dull hwn yn aml yn ei bentref. Dros yr wythnosau fe ddaeth y ddau ohonom yn ffrindiau agos.

Daeth fy modolaeth yno fel dyn sengl i ben rai misoedd yn ddiweddarach pan gyrhaeddodd Meg. Un diwrnod penderfynodd fynd i'r farchnad leol gyda'n cogydd, Willie, pan aeth i brynu cig. Roedd pryfed duon yn chwyrlïo o amgylch yr hambyrddau cig. Felly, ar ôl yr ymweliad hwn, penderfynodd Meg mai dim ond mango a llysiau wedi'u trin y byddai'n eu bwyta! Weithiau byddem yn cael ein gwahodd i gael swper go iawn yng nghartref Cynan a Phyl

Owen, y soniais amdanynt ynghynt. Pan fyddwch yn teithio'r byd rydych yn sylweddoli pa mor fach ydyw mewn gwirionedd. Byddai Cynan a minnau, os oedd ein dyletswyddau'n caniatáu hynny, yn diflannu i'r gwylltir i hela 'dymuniadau', hynny yw, hwyaid gwyllt neu adar y gwylltir. Un bore, er mawr cywilydd i mi, dychwelais wedi saethu dwy iâr gini, a chael fy hysbysu gan y cogydd mai adar dof o'r pentref nesaf oeddent.

Roedd teithio yng ngogledd a chanolbarth Nigeria yn flinedig iawn; roeddem yn trin milwyr clwyfedig a dioddefwyr sifil yn yr un modd. Roedd y rhan fwyaf o'r bobl a oedd yn fy nghynorthwyo yn gweithio ar gyflymder malwod, ond roedd dau gynorthwyydd yr oeddwn yn eu hedmygu'n fawr. Un oedd Al Hagi Umuru, nyrs gwrywaidd a fu'n gweithio gyda mi wrth fynd rownd y wardiau. Pan fyddem yn ymweld â chlaf ag anaf anadferadwy neu diwmor yn y breichiau neu'r coesau, byddai fy nghyfaill yn troi at y claf druan ac yn dweud, 'No chop-chops today, chip chip.' Gallai Al Hagi gynnal llawdriniaethau i dorri breichiau neu goesau, ac roedd yn arbenigwr hefyd ar impio croen. Pan ddychwelais i'r Deyrnas Unedig, trefnais i Al Hagi Umuru a rheolwr y theatr llawdriniaethau ddod draw i Groesoswallt i dderbyn hyfforddiant pellach. Fe wnaeth y ddau fwynhau'r profiad yn fawr iawn. Un dydd Sadwrn, fe benderfynodd y ddau logi beiciau a beicio o amgylch y pentrefi ger Croesoswallt, ac wrth iddynt adael un dafarn cawsant eu hamgylchynu gan y plant lleol, nad oeddent wedi gweld dyn du yn y cnawd o'r blaen. Fe fentrodd un ohonynt gyffwrdd croen Al Hagi hyd yn oed, er difyrrwch mawr i'm cyfeillion o Nigeria.

Dysgais rai gwirioneddau yn ystod fy nghyfnod yn Nigeria. Roedd llawer o filwyr yn cael eu derbyn gyda thetanws a oedd yn peryglu eu bywydau. Ond, er mawr syndod i mi, pe byddem yn rhagnodi cymysgedd cryf o dawelyddion iddynt, byddai'r rhan fwyaf ohonynt yn gwella. Roedd malaria ym mhob man hefyd, ac roedd mwy a mwy o achosion o HIV, a oedd yn cael effeithiau dinistriol ar deuluoedd ifanc. O bryd i'w gilydd byddwn yn ymweld ag ysbyty gwahangleifion yn y gwylltir, a oedd yn cael ei redeg gan leianod o'r Almaen. Fe ddeuthum yn arbenigwr ar law-drin dwylo a thraed anffurfiedig. Byddwn yn dweud gweddi cyn pob llawdriniaeth.

Gyda'r nos, byddai fy nyrs a minnau'n mwynhau gwledd yng ngolau'r lleuad gyda'n gwesteiwyr. Anrhydedd prin iawn! Yn agos at ddiwedd fy arhosiad, pan gyrhaeddodd Meg, fe wnaethom achub ar y cyfle i ymweld â pharciau bywyd gwyllt a gorffwysfannau, yn cynnwys un yn Josh, a gerddi eiconig hefyd, lle buom yn aros mewn tai crynion to gwellt.

Pan oeddwn yn gweithio yn Zimbabwe, deuthum yn ffrindiau â thri theulu. Dyma'r cyfnod ym 1987 pan oedd yr Arlywydd Robert Mugabe yn cipio ffermydd ffermwyr gwyn a'u cyflwyno fel anrhegion i'w gyfeillion gwleidyddol. Roedd cefnder Meg yn berchen ar un o'r ffermydd hyn. Ar y pryd roeddwn yn gweithio yn Harare a Bulawayo, gan ddod i adnabod yr athro niwrolawdriniaethau a'i wraig (a oedd yn athro meddygaeth) a hefyd llawfeddyg orthopedig a oedd wedi hyfforddi yn Llundain. Rwy'n cofio nofio ym mhwll nofio'r llawfeddyg orthopedig gyda Meg ar ddydd Nadolig, gyda'r tywydd yn boethach yno, wrth gwrs, ddiwedd mis Rhagfyr.

Rai blynyddoedd yn ddiweddarach, ar ôl i mi ddychwelyd i'r Deyrnas Unedig, daeth athro chwaraeon Ysgol Rydal ym Mae Colwyn ataf i ofyn am gyngor. Roedd ar fin mynd â thîm rygbi i deithio Zimbabwe ac roedd eisiau gwybod pa offer y dylai fynd â hwy gydag ef. Ni roddais unrhyw restr iddo; yn hytrach, rhoddais enwau fy nhri chyfaill yn Harare. Yn ystod gêm gyntaf y daith rygbi, roedd un o fechgyn Rydal yn ymddangos fel pe bai wedi'i barlysu yn y sgrym. Daeth mam a oedd yn gwylio ei mab yn y tîm arall i gynnig cymorth, gan ddweud ei bod yn athro meddygaeth yn Harare. Er mawr ryddhad i bawb, daeth y chwaraewr ato'i hun yn raddol, ond dywedodd y wraig y dylai ei gŵr, athro niwrolawdriniaethau, edrych ar linyn cefn y bachgen. Roedd ef, yn ei dro, yn credu y dylai meddyg orthopedig archwilio gwddw'r bachgen. Fel mae'n digwydd, y rhain oedd yr union dri enw yr oeddwn wedi'u rhoi i'r athro! Cyd-ddigwyddiad hapus iawn!

Rai blynyddoedd yn ddiweddarach fe wnaethom

i gyd gwrdd yn Victoria Falls. Roedd Meg a minnau wedi bod yn hwylio i lawr afon Zambezi, yn gwylio'r crocodeilod a'r hipopotamysau. Yr hipopotamws yw'r anifail mwyaf peryglus yn Affrica. Yn y nos maent yn gadael y dŵr ac yn crwydro'r gwylltir. Rwy'n cofio mynd o amgylch un ward pan oedd hipopotamws wedi brathu coes un claf druan i ffwrdd yn llwyr.

Roedd fy nghyfraniad yng ngogledd Affrica, y tu hwnt i anialwch y Sahara, yn fwy cyfyngedig. Ond bûm yn gweithio yn y gwladwriaethau hynny, a oedd yn llawn olew, ac i Awyrlu'r Aifft hefyd. Un o fy nyletswyddau yn Jeddah, Saudi Arabia, a Qatar oedd asesu a oedd poen ysgwyddau neu boen cefn y merched cyfoethog yn ddigon gwael i warantu ymweliad i weld meddyg yn Llundain – hynny yw, esgus da i fwynhau goleuadau Llundain gyda'u llu o weision! Roedd y sefyllfa yng ngwledydd y Gwlff yn wahanol iawn i Affrica.

Tra oeddwn yn yr Aifft, cafodd Meg a minnau brofiadau pleserus annisgwyl. Buom yn hwylio mewn ffelwca fechan i lawr afon Nîl at Gamlas Aswan, gan alw yn Karnak a Dyffryn y Brenhinoedd ar y ffordd. Cawsom bicnic hefyd gyda chyn-fyfyriwr yn yr anialwch yng ngolau'r lleuad ger un o'r pyramidiau, a sgïo ar ddŵr ar y Môr Coch. Rhoddwyd llygad dafad i mi ei fwyta, am fy mod yn ymwelydd anrhydeddus. Y teithiau hyn oedd ein gwobr am ein gwaith caled yn Cairo.

Bu Meg a minnau'n ymweld â De Affrica pan oedd

y gyngres orthopedig Saesneg ei hiaith yn ymweld â Cape Town. Ar y pryd roeddwn yn is-lywydd Cymdeithas Orthopedig Prydain, felly cawsom ein trin fel aelodau o deulu brenhinol. Fe wnaethom fwynhau taith i fyny Table Mountain; buom yn yfed gwin gyda chyn-fyfyriwr dan hyfforddiant yng Nghroesoswallt yn Stellenbosch; teithio i Little Karoo a mwynhau wyau estrys wedi'u sgramblo i frecwast. Derbyniais her i farchogaeth mewn ras estrys, a oedd yn llawer o hwyl. Ond collais ar ôl y drydedd ras. Rywsut, roedd yn well gennyf farchogaeth fy ngheffyl yng Nghymru na rasio estrys yn Affrica! Buom yn teithio hefyd gyda ffrindiau ar hyd y Garden Route i Port Elizabeth.

Yn Pretoria buom yn aros gyda George Dommissee, a oedd yn Brydeiniwr brwd. George oedd yr Athro yn Pretoria, a byddai'n ymuno â mi yng Ngwlad Groeg ar ein gwyliau gweithio blynyddol gyda'n ffrindiau a'n teuluoedd Groegaidd. Fe ysgrifennodd ysgrif glasurol ar gyflenwad fasgwlaidd bychan llinyn y cefn bodau dynol. Daeth George yn fyd-enwog yn sgil y gwaith hwn.

Yna, buom yn teithio i Pilgrim's Rest ym Mynyddoedd Drakensberg, a chwrdd â Chymro, Owen, o Gwm-y-glo, ger Caernarfon, a oedd wedi treulio blynyddoedd lawer yn y mwyngloddiau tun. Pan ofynnais iddo a oedd unrhyw fwynwyr eraill o Gymru yn y dref, dywedodd fod 'Nifer fawr ohonynt, ond yn y fynwent!' Y noson honno fe wnaethom fwynhau barbeciw gyda'i deulu. Yn olaf, treuliasom wythnos ym Mharc Cenedlaethol byd-enwog Kruger, cyn hedfan adref o Johannesburg. Roedd y daith hon yn bleser pur, ymhell o fwrlwm fy nyletswyddau llawfeddygol. Profiad i'w drysori wrth i'r blynyddoedd dreiglo.

12
Nepal

CYN I MI ymddeol, bûm yn teithio i deyrnas hardd Nepal gyda fy merch, Gwyneth. Am flynyddoedd lawer wedi hynny, fe wnes i ddychwelyd i ymweld ag un o wledydd tlotaf y byd, a gweithio yno.

Dechreuodd fy nghysylltiad â'r wlad drwy fy ffrind, Ginger Wilson, a wnaeth fy nghyflwyno i sefydliad o'r enw'r World Orthopaedic Concern (WOC). Roedd y sefydliad hwn, yn ei dro, yn cael ei gefnogi gan gorff gwirfoddol o'r enw Impact, a oedd wedi'i sefydlu gan yr eiriolwr iechyd cyhoeddus yn y gwledydd datblygol, Syr John Wilson. Roedd ef a'i wraig, y Foneddiges Jean Wilson, wedi sefydlu clinigau llygaid yn Nepal, a llwyddasom i'w darbwyllo i'n cynorthwyo ni gyda'n hymdrechion i gynnal clinigau i drin clefydau symudiadau mewn ardaloedd ymylol yn cynnwys Dyffryn Terai, ger y ffin ag India, a godreon mynyddoedd yr Himalaya. Buom yn gweithio'n agos gyda'r staff meddygol a'r staff nyrsio lleol hefyd.

Yn ystod fy ymweliadau cynnar â Nepal, bûm yn cydweithio â chyfaill a chyd-weithiwr, David Jones o Fangor a Great Ormond Street. Bu'r ddau ohonom yn gweithio am yn ail am gyfnodau o chwe mis, ac yn adolygu ein cleifion ein gilydd. Roedd hynny'n gweithio'n dda ac roedd ein timau ymweld yn cynnwys ail lawfeddyg, anesthetydd, nyrs theatr (yn aml o Ysbyty Glan Clwyd, y Rhyl) a myfyriwr meddygol ifanc. Cawsom gymorth hefyd gan gyn-fyfyrwyr ôl-raddedig a oedd wedi hyfforddi gyda ni yn Lerpwl a Chroesoswallt.

Hefyd yn y clinigau hyn cawsom gymorth gan ein ffrindiau dibynadwy o Nepal: Buland Thapa, Vinod Thapa a Mahesh Shrivastava ac eraill. Roeddent yn gyd-weithwyr amhrisiadwy. Buland Thapa yw pennaeth yr uned orthopedeg a damweiniau yn Ysbyty Bir yn Kathmandu. Mae'n gyfaill a swyddog cyswllt ffyddlon, ac roedd ei ddiweddar dad yn fardd talentog gyda statws tebyg i'n harchdderwydd ni yma yng Nghymru.

Un arall a fu o gymorth mawr oedd fy nghefnder, Wil Roberts, anesthetydd, a bu'n teithio gyda mi ar yr ymweliadau cynnar hynny i Nepal. Roedd gan Wil brofiad blaenorol o fyw yn Affrica, yn gweithio'n bennaf fel meddyg awyr ar y cyfandir. Mae fy nghyfaill agos David Griffiths o Stoke-on-Trent wedi bod yn weithiwr amhrisiadwy yn Kathmandu, Pokhara ac mewn ysbytai anghysbell yn Nepal, ac ar y ffin â Thibet.

Yn ogystal â thrin cleifion, roeddem hefyd yn addysgu gweithwyr anfeddygol ar ddulliau syml i drin anafiadau a chlefydau. Yna, byddent yn trosglwyddo'r wybodaeth hon i'w pentrefi hwy eu hunain. Roedd pawb yn gwerthfawrogi hyn yn fawr iawn. Roedd cefnogi ysbytai anghysbell yn flaenoriaeth i ni. Yn ogystal, buom yn casglu offer meddygol segur o ysbytai gogledd Cymru a Lerpwl. Byddai'r rhain yn cael eu cludo gan P&O Ferries i Calcutta, ac yna ar y ffyrdd i Kathmandu, yna byddent yn cael eu dosbarthu gan ein ffrindiau ffyddlon i bob cwr o Nepal. Ar adegau, cafodd ein hymdrechion eu llesteirio dros dro, pan lwyddodd y gweithgareddau Maoaidd yn Nepal i'w gwneud yn amhosibl i ddefnyddio'r ffyrdd.

Yn ystod ein cyfnod yn Kathmandu, byddem yn defnyddio'r Kathmandu Guest House fel ein canolfan, cyn mentro drwy'r awyr neu mewn tryciau i ardaloedd anghysbell. Fel mae'n digwydd, y Kathmandu Guest House oedd un o hoff ganolfannau Syr Edmund Hillary, concwerwr Everest ym 1953, a'i dîm. Ar fy ymweliad mwyaf diweddar, roeddwn yn falch iawn o weld y teils yn y llwybr sy'n arwain at fynedfa'r gwesty bychan wedi'u mewnosod gyda phlaciau copr yn coffáu enwau pob aelod o dîm Everest, yn cynnwys y Cymro Cymraeg Syr Charles Evans ac, wrth gwrs, Sherpa Tenzing Norgay.

Ar ôl llwyddiant 1953, arferai tîm Everest gyfarfod bob blwyddyn yng Ngwesty Pen-y-Gwryd, Nant Gwynant. Heddiw, fe welwch eu llofnodion ar do'r bar yno. Ar un achlysur, adroddodd Chris Briggs, perchennog y gwesty a chefnogwr y gymuned fynydda, stori ddifyr wrthyf am Hillary yn cyrraedd yn hwyr i'r aduniad ym Mhen-y-Gwryd. Dywedwyd wrtho fod ei ffrindiau eisoes wedi mynd allan i gerdded i fyny mynyddoedd y Glyderau gerllaw. Felly penderfynodd Hillary gerdded i gwrdd â hwy, mewn crys-t, trywsus byr a sandalau. Ar ei ffordd i fyny daeth ar draws dyn yn dychwelyd i lawr y bryn, yn gwisgo'r offer mynydda llawn a heyrn dringo. Dywedodd y dieithryn wrth Hillary na fyddai unrhyw fynyddwr profiadol yn crwydro'r Glyderau mewn trywsus byr; roedd yn rhy beryglus! Yn ôl y sôn, gwenodd Syr Edmund arno, ond ni wnaeth ddatgelu pwy ydoedd i'r dieithryn!

Yn ôl yn y Kathmandu Guest House yn Thamel, yr oedd fy nhîm a minnau'n mwynhau swper un noson pan welais ddyn yn gwisgo crys rygbi coch Cymru wrth y bwrdd nesaf. Canfyddais ei fod ef a'i gariad Dilys yn ymweld â dwy ysgol yn Nepal, ysgolion yr oeddent hwy wedi'u hadeiladu ac wedi rhoi cefnogaeth ariannol iddynt. Dywedais fy mod innau'n ceisio gwneud popeth yn fy ngallu i bobl Nepal, drwy helpu i wella iechyd y wlad. Felly, fe wnaethom gytuno yn y fan a'r lle i gydweithio ar unrhyw brosiectau yn y dyfodol. Roedd Dilys yn ddirprwy ysgolfeistres mewn ysgol yng Nghynwyd, ger Corwen, ac roedd yn hanu'n wreiddiol o Gerrigydrudion. Roedd ei chariad yn gweithio i gwmni trelars Ifor Williams.

Gan barhau ar thema addysg, yn dilyn ei lwyddiant yn esgyn i gopa Everest, treuliodd Syr Edmund a'i wraig Louise flynyddoedd lawer yn sefydlu eu hysgolion eu hunain ar hyd a lled Nepal. A bu aelod arall o dîm llwyddiannus 1953, Syr Charles Evans, yn gwasanaethu ym myd addysg yng Nghymru fel pennaeth Prifysgol Coleg Gogledd Cymru, Bangor.

Yr wyf wedi bod ofn dringo creigiau erioed; yn hytrach, rwyf wedi bod yn fodlon crwydro bryniau Gwynedd. Yr oeddwn yn fwy na hapus i fwynhau'r clod a ddeuai wrth helpu fy nghleifion dringo oedd wedi'u hanafu! Hoffwn grybwyll un mynyddwr penodol, yr enwog Joe Brown, y mynyddwr amryddawn gorau un o bosibl. Daeth i fy ngweld yn dilyn damwain ganŵio ar Lynnau Mymbyr, Capel Curig. Yn ystod y llawdriniaeth ar ei gefn, tynnais yr enghraifft orau o ddisg wedi llithro i mi ei gweld erioed. Yn dilyn hynny, clywais ei fod wedi gwella digon i ddringo'r Old Man of Hoy, craig fôr heriol iawn yn ynysoedd Orkney!

Bûm ar fy ymweliad diwethaf â Kathmandu gyda fy mab Dai a'i wraig Heather. Aethom i weld hen ffrindiau a oedd wedi bod yn gleifion neu'n fyfyrwyr. Roedd yn daith hiraethus ac yn un bleserus iawn i Kathmandu, Pokhara a'r jyngl ar y ffin ag India, a theithio ar gefn eliffant a mwynhau saffari byr yn Nyffryn Terai. Yn anffodus, es yn wael iawn gyda niwmonia, a bu'n rhaid i mi aros yn Ysbyty Glan Clwyd am dair wythnos. Y dyddiau hyn, mae Kathmandu yn llygredig iawn gyda mwrllwch a mygdarth traffig. Gellir beio teithio yn yr awyr am ysgogi niwmonia hefyd!

***

Wrth i mi baratoi fy llyfr, clywais y newyddion am drychineb daeargryn Nepal. Mae wedi dinistrio nid yn unig canolbwynt y ddaeargryn yn Gorkha, ger man geni'r Bwda, a'r ardal rhwng Kathmandu a Pokhara, ond hefyd gogledd India, masiff Annapurna a mynyddoedd yr Himalaya. Mae'n drychineb enfawr i'r wlad a'i phobl, gwlad yr oedd ei seilwaith yn wan ac a oedd yn dioddef tlodi enbyd eisoes.

Yn ffodus, ni chafodd fy nghyd-weithwyr agos eu hanafu, yn cynnwys Buland Thapa, Mahesh Shrivastava a nifer o gyd-weithwyr llawfeddygol eraill. Gwn y byddant wedi bod yn ymdrechu i helpu'r bobl sydd wedi'u hanafu yn y dinasoedd a'r pentrefi anghysbell. Pe byddwn ond ugain mlynedd yn iau, byddwn wedi bod ar yr awyren gyntaf allan i'w helpu. Gwaetha'r modd, oherwydd fy oedran, mae'n debyg y byddwn yn fwy o rwystr na help.

Yn y gorffennol mae fy ŵyr ifanc Huw wedi treulio amser yn helpu i adeiladu ysgolion yn Patan. Hefyd, mae fy ffrindiau o Gorwen a Cherrigydrudion wedi helpu i gefnogi The Brick Children's Schools yn Nyffryn Kathmandu. Tybed beth yw cyflwr yr ysgolion hynny heddiw? Bydd ysgolion Syr Edmund Hillary wedi dioddef hefyd.

Gadewch i ni obeithio y bydd cymorth gan gyrff a llywodraethau rhyngwladol yn helpu'r sefyllfa yn fuan iawn.

13

Marchogaeth i'r anabl

ROEDD GENNYF DDIDDORDEBAU y tu hwnt i'm gwaith beunyddiol hefyd. Fel y nodais eisoes, datblygais ddiddordeb mawr mewn ceffylau pan oeddwn yn blentyn. Yn ddiweddarach datblygais ddiddordeb mewn gofal plant anabl a chefais fy nenu gan yr elusen Riding for the Disabled.

Dechreuais weithio ar fenter o'r fath yn Llanfynydd, ger yr Wyddgrug, pan ddaeth grŵp bychan ohonom at ein gilydd i brynu fferm oedd wedi mynd yn adfail. Rwy'n cofio meddwl un bore Sul o eira, wrth yfed coffi a wisgi poeth yn y stabl a oedd yn gollwng dŵr, a oeddem wedi bod yn ffôl a diniwed yn prynu adfail o'r fath. Ond, gyda brwdfrydedd y merched dewr Marigold Graham, Anne Sopwith, y Foneddiges Rosamund Gladstone, Jill Griffith ac eraill, blodeuodd y fenter farchogaeth hon yn ganolfan farchogaeth ffyniannus i farchogion anabl hen ac ifanc. Rhoddwyd yr enw Ysgol Farchogaeth Arbennig Clwyd ar yr ysgol ac estynnwyd gwahoddiad i'r Dywysoges Anne fod yn noddwr iddi.

Yn ystod ei hymweliadau, cefais yr anrhydedd

o esbonio anableddau amrywiol y marchogion iddi, a dangosodd ddiddordeb mawr yn hyn. Wrth i'r blynyddoedd fynd heibio, daeth yn amlwg bod angen llety cysgu pwrpasol yn y ganolfan hefyd. Felly, cafodd un o'n cefnogwyr, Elizabeth Colwyn Foulkes, pensaer nodedig, ei recriwtio i gynllunio ystafelloedd cysgu. Bu'r fenter hon yn fendith fawr. Heddiw, mae'r safle yn Llanfynydd yn parhau i fod yn rhan hollbwysig o'r mudiad Riding for the Disabled. Bûm yn gwasanaethu am rai blynyddoedd fel dirprwy gadeirydd y Gymdeithas Marchogaeth i'r Anabl ar gyfer gogledd Cymru ac yn gynghorydd meddygol iddynt, a oedd yn anrhydedd i mi.

Dysgais lawer iawn am feddyliau a theimladau mewnol plant anabl drwy fy ngwaith yn Llanfynydd. Pan mae plentyn mewn cadair olwyn mae'n rhaid iddynt edrych i fyny ar blant abl eu cyrff. Ond pan maent yn eistedd ar gefn ceffyl, mae'r ffordd maent yn gweld y byd a'u teimladau at y byd yn newid. Maent yn edrych i lawr ar bob dim yn awr, hyd yn oed os mai dim ond am gyfnod byr y bydd hynny. Mae marchogion hefyd yn datblygu empathi gyda'r ceffyl a'u gofalwyr gwirfoddol ffyddlon.

***

Efallai nad yw'n syndod i fy niddordeb mewn ceffylau ddatblygu, yn bennaf oherwydd y dylanwadau cynnar hynny gan fy nhad yn ystod fy mhlentyndod. Ni fyddai hanes fy mywyd yn gyflawn heb gyfeirio at fy edmygedd o *equus caballus,* gyda chŵn defaid Cymru yn ail agos iddynt.

Er y bu bron iawn i mi ddewis gyrfa fel meddyg anifeiliaid yn hytrach na gofalu am fy nghyd-ddyn, cefais fy nghyfareddu gan hanes y creadur pedwartroed bychan gyda phum bys troed ar bob coes ac o faint daeargi bychan a fu'n crwydro peithdiroedd Gogledd America hyd at Oes yr Iâ, ddeng miliwn o flynyddoedd yn ôl, pan ddiflannodd. Mae'r ffaith iddo ailymddangos ar ôl cyfnod y rhewlif yn Asia, Ewrop ac Affrica fel creadur pedwartroed mwy o faint gydag un bys troed, y carn, yr un mor ddiddorol i mi. Felly hefyd y ffordd y mae dyn wedi dofi'r ceffyl i gael cysylltiad agos gyda ni fodau dynol mewn cymaint o feysydd, yn amaethyddiaeth, rhyfel, yn ddiddordebau hamdden, chwedlau neu grefydd. Yr wyf hefyd wedi fy hudo gan y ffordd y mae dyn, yn dilyn egwyddorion Darwin, wedi cynhyrchu'r fath amrywiaeth o fridiau ceffylau, o ran lliw, maint, tymer, dycnwch a deallusrwydd. Mae'n fy syfrdanu.

14

Cartref oddi cartref

WRTH OFALU AM blant yn Ysbyty Alder Hey, roedd y ffaith nad oedd gan rieni ifanc unrhyw le addas i aros tra oedd eu plant wedi'u cyfyngu i welyau'r wardiau yn peri pryder mawr i mi. Ar ôl diwrnod llawn llawdriniaethau, fy arfer oedd ymweld â'm cleifion gyda'r nos, dim ond i weld mamau'n cysgu ar fatresi ger y cotiau. Felly, cafodd Tŷ Ronald McDonald ei adeiladu gerllaw, hafan i rieni aros tra bydd eu plant yn yr ysbyty. Mae'r elusen hon yn un genedlaethol erbyn hyn, ac mae'n llenwi bwlch mawr.

Rai blynyddoedd yn ddiweddarach, ar ôl llawer o anogaeth, adeiladwyd cyfleuster tebyg i rieni yn Ysbyty Glan Clwyd, o'r enw Tŷ Croeso. Cafodd ei sefydlu gan Syr William Gladstone a minnau, ac mae'n cael cefnogaeth gan ffrindiau o'r enw Pals, er cof am Dawn Elizabeth, gwraig ifanc a gafodd ei lladd mewn damwain car yn Llundain.

Un diwrnod bu'n rhaid gwneud rhywbeth am y falf yn fy nghalon a oedd wedi'i difrodi. Cefais lawdriniaeth i gael falf newydd yng Nghanolfan y Galon a'r Ysgyfaint yn Broadgreen, Lerpwl. Bu'n rhaid i Meg fy ngwraig ymweld â mi'n aml o Fae Colwyn, taith gylch o gan milltir, a oedd yn dipyn o straen. Wrth orwedd yn y gwely yn gwella, sylwais ar adeilad adfeiliedig gerllaw, a fu'n gartref i arolygydd yr ysbyty yn y gorffennol. Yn fy nghyflwr dryslyd, awgrymais i fy llawfeddyg y dylid trawsnewid yr adeilad yn gyfleuster ar gyfer perthnasau a ffrindiau, er mwyn ei ddefnyddio fel hafan i'w hanwyliaid a oedd yn gwella o waeledd ar y wardiau. Cafodd y syniad groeso brwd, ac ar ôl llawer o ymdrechion i godi arian, cafodd y tŷ ei adnewyddu. Roedd hynny ugain mlynedd yn ôl. Mae'r tŷ ger wardiau ac uned gofal dwys yr ysbyty wedi bod yn hafan croeso ers hynny i gannoedd o deuluoedd, o bell ac agos. Enw'r tŷ yw Tŷ Robert Owen. Oherwydd ein bod yn nodi ugain mlynedd ers agor y tŷ eleni, byddwn yn dathlu, ac yn gofyn i'n cefnogwyr roi help pellach i foderneiddio'r tŷ.

Mae pwyllgor bychan yn goruchwylio'r tŷ: Brian a Norma Fabri a Victoria Cleary, gyda Sharon yn rheoli'r materion beunyddiol. Mae Tŷ Robert Owen yn cael cefnogaeth ariannol gan gefnogwyr o Gymru, Ynys Manaw, Glannau Mersi a'r tu hwnt.

Yn ddiweddar, fel llywodraethwr Ymddiriedolaeth Niwrowyddorau Walton yn Lerpwl, cynigiais y syniad y dylid adeiladu cyfleuster tebyg ar gampws yr ysbyty hwnnw, unwaith eto er mwyn cynnig lloches i berthnasau cleifion tra bydd eu hanwyliaid yn cael triniaeth. Mae'r gwaith o godi arian wedi'i gwblhau erbyn hyn, ac mae'r adeilad newydd yn barod ar gyfer ei breswylwyr cyntaf. Enw'r uned fydd Home from Home, a bydd yn rhan o brosiect mwy o'r enw'r Tim Watkins Complex, a fydd yn gartref i ganolfan adsefydlu, awditoriwm, cyfleuster ymchwil niwrolegol a gweithgareddau eraill. Bydd hyn yn llenwi bwlch mawr yn y gwaith o redeg canolfan Walton.

Rwy'n grediniol bod tawelwch meddwl perthnasau a chleifion yn gallu helpu adferiad yn ystod cyfnodau o straen.

15

Teulu, cartref a hamdden

ROEDD FY NGWRAIG Meg yn dod o Northumberland, ar lan ddeheuol afon Tweed, ddim ymhell o Fryniau Cheviot. Roedd hi'n hanu o deulu o ffermwyr, fel finnau. Cafodd dreulio ei hieuenctid mewn amgylchiadau braf iawn gyda'i chwaer Kay a'i brawd Tom ar ddwy fferm ffyniannus. Roedd un fferm yn East Flodden, ddim ymhell o feysydd hanesyddol Flodden lle gwnaeth byddin Harri'r Wythfed, yn anffodus, ddifrodi goreuon uchelwyr Albanaidd y Brenin James ym 1553.

Roedd gan Meg gysylltiadau cryf â'r Alban. Yn y Rhyfel Byd Cyntaf, roedd ei thad, David Carr Brown, wedi ymuno â chatrawd Albanaidd a mynd â'i geffyl ei hun gydag ef, fel y gwnaeth llawer o'i gyfeillion. Yn anffodus, bu Carr farw'n ifanc gan adael ei wraig Harriged ('Taggie') i fagu tri o blant a rhedeg y ffermydd, gyda chymorth beili ffyddlon. Mewn gwirionedd, mae hyn yn adlewyrchu profiad fy mam innau hefyd.

Daeth Taggie a minnau'n gyfeillion agos. Byddai Taggie yn aml yn fy amddiffyn rhag ei merch pan oeddwn i wedi anghydweld â hi ar faterion pwysig, ar yr aelwyd neu'n gyhoeddus. Weithiau, byddai

Taggie'n gweithredu fel derbynnydd answyddogol i mi. Un diwrnod atebodd y ffôn, a'r foneddiges ar ben arall y lein yn gofyn am y llawfeddyg, gan fod y foneddiges yn cael trafferth gyda bynion. Dywedodd Taggie wrthi fod Mr Owen yn dda yn trin bynions a'i fod, mewn gwirionedd, wedi rhoi llawdriniaeth ar ei bynion hi. Rhaid i mi gyfaddef fy mod wedi petruso cyn gwneud hynny, ond roedd Taggie'n mynnu. Roedd hi'n wraig osgeiddig, yn gynnes ac yn ddoeth, yn union fel Meg. Bydd pobl yn dweud yn aml bod y ferch yn debyg i'r fam.

Priododd Meg a minnau ar 6 Tachwedd 1949 yn nhref fechan Wooler yn Northumberland, gyda fy mrawd Bill fel y gwas priodas a fy chwaer Bet a chwaer Meg, Kay, fel y morynion. Roedd y mis mêl yn yr Ynys Werdd, a dyna ddechrau ar ein trigain ac un o flynyddoedd gyda'n gilydd. Rhoddwyd croeso mawr i mi yng nghymuned amaethyddol Dyffryn Tweed, a chael mwynhau partïon tenis a croce yno, a mynd am bicnic i fyny bryniau Langdale a Cheviot.

Roedd Meg wedi hyfforddi fel nyrs yng Nghaeredin a Leith. Ar ôl nyrsio am flwyddyn yng Nghastell Alnwick, ymunodd â Gwasanaeth Nyrsio'r Dywysoges Mary gyda'r Awyrlu Brenhinol. Yno y gwnaeth hi gyfarfod ei phartner oes, ar draws y bwrdd llawdriniaeth, fel rwyf wedi sôn eisoes! Byddai pobl yr adeg honno'n ei hadnabod fel Cluny Brown.

Pan gyrhaeddodd ein dau blentyn, Gwyneth Anne

(Gilly) a David Llewelyn (Dai), penderfynodd Meg, er mawr glod iddi, fod yn fam fyddai'n aros gartref i gadw aelwyd. Byddai hefyd o dro i dro'n gweithio fel nyrs ar longau leiner Cunard. Gartref byddai'n cefnogi'r Brownies a'r Girl Guides lleol ac yn rhedeg clinigau cyfarwyddyd priodas. Ei hobïau hi oedd chwarae *bridge* a golff. Roedd hi'n falch o'r tro y cafodd 'dwll mewn un' wrth chwarae golff. Byddai wedi dod yn gapten a chadeirydd golff y merched, ond yn anffodus daeth salwch i ymyrryd â hynny.

Roedd ein gwyliau teuluol gyda'r plant a chyfeillion yn adegau arbennig, gan eu treulio'n bennaf yn yr Alban, yn nofio yn nŵr oer Môr y Gogledd yn Dunbar, pysgota oddi ar arfordir y gorllewin mewn llefydd fel Glen Affric ac ynysoedd Heledd, yn cael ein plagio gan y gwybed, wrth gwrs! Ac wedyn roedd hwylio o Oban gyda'n cyfeillion, y Foulkes. Un dydd Sul, yn Wythnos Glasgow yn ystod y tymor hwylio, daeth gwahoddiad i ni fynd i barti *marshmallow* ar ynys Mull. Cafodd Meg lawer gormod o wisgi, a dyma'r unig dro i mi ei gweld o dan ddylanwad! Roedd rhaid i ni ei chario yn ôl i'n cwch.

Bob blwyddyn, byddai'n ddigwyddiad arbennig i ni ym mis Medi fynd i'r lle gwyliau oedd gennym wedi'i neilltuo bob blwyddyn yn Craigendarroch, Ballater, sy'n agos at Gastell Balmoral. Byddem ni'n mynd i'r Highland Games pan oedd y teulu brenhinol yno, ac yn rhannu ein pwll nofio gyda'r Dywysoges Diana. Roedd hi'n nofwraig dalentog, yn arbennig o dda yn y dull rhydd. Yno y gwnaethom ni ddysgu'n plant i nofio, a hefyd i sgïo ar y llethr sych. Pan oedd y plant yn hŷn byddent yn sgïo yn y Cairngorms. Un adeg sy'n arbennig o fyw yn y cof i mi yw pan oeddem ni'n cael picnic yn Glen Muick, a gwrando ar bibydd Albanaidd mewn cilt yn ymarfer yn y grug, gyda cheirw coch heb fod ymhell i ffwrdd. Dyna oedd dyddiau da go iawn.

Mae hwylio'r moroedd mawr wedi bod yn un o bleserau bywyd i mi, fel aelod di-dâl o'r criw ar iotiau moethus ein cyfeillion. Un diwrnod yn Awst dyma ni'n hwylio o Bwllheli i ynysoedd Sant Tudwal ar iot y teulu Foulkes, gyda'r bwriad o ddal mecryll ffres i'r teulu a chyfeillion. Er mwyn bod o gymorth, roeddwn wedi mynd i eistedd yng nghaban y cwch ac fel roedd y pysgod niferus iawn yn dod i mewn, yn agor a glanhau'r helfa fawr a'u rhoi mewn basged wiail. Yn sydyn, dyma blwc o wynt yn troi'r cwch ar ongl o bedwar deg pum gradd. Yn anffodus iawn, dyma'r fasged a'i chynnwys yn llithro dros yr ymyl ac i'r môr. Roedd y criw'n gweld hyn yn ddoniol iawn, a fi oedd testun yr hwyl, ond doedd ein capten ddim yn hapus o gwbl. Ar y ffordd yn ôl, roedd cyfle i gael digon o fecryll eto i ateb gofynion ein cyfeillion. Mae'r math yma o hwylio, wrth gwrs, yn wahanol iawn i fordaith ar y llongau mawr, fel teithiwr neu aelod o'r criw. Y cyntaf o'r rhain sydd orau gen i. Rydym wedi hwylio ar iotiau ym Môr y Caribî, Ynysoedd Groeg a Thwrci.

Rwyf hefyd wedi treulio amser yn pysgota am

frithyll ac eog yn llynnoedd Swydd Mayo gyda fy nghyfeillion Dick Duncalf, Gwyn Thomas a Ralph Foulkes. Un tro, roedd Gwyn yn credu ei fod wedi bachu eog ugain pwys, ond ar ôl ugain munud o ymladd, yn anffodus beth oedd yno ond penhwyad milain! Fin nos, byddai ffermwyr o'r ardal o gwmpas yn ymweld, a'r botel *potcheen* yn dod allan. Byddai ein cyfeillion o Norwy, y teulu Meinich, yn ymweld â ni weithiau yn Swydd Mayo.

Ymhellach ymlaen, a minnau gryn dipyn yn hŷn, rwy'n ddigon dedwydd yn dal brithyll seithliw o gwch ar Lyn Brenig ar Fynydd Hiraethog, gyda Mark Duncalf yn gwasanaethu a Ron Duncalf fel y cogydd. Mae pysgotwyr yn bobl hapus a chyfeillgar. Dyddiau da!

Fy niddordeb arall wrth ymlacio fu sgïo mewn gwahanol wledydd Ewropeaidd. Y slalom y byddaf yn ei fwynhau fwyaf. Yn Norwy, rwyf wedi mwynhau sgïo i lawr llethrau ac ymarfer sgïo traws gwlad dros bellter hir. Un diwrnod cefais weld y ffenomenon o ddwsinau o lemingiaid yn croesi ein llwybr, ar eu ffordd i hunanddinistr dros glogwyn. Un o ryfeddodau natur.

Mae'n fyd gwahanol wrth sgïo ar lethrau agored. Roeddwn i unwaith yn reit dda ar y 'black runs' i lawr y llethrau. Un tro, cefais helbul yn Awstria. Cael gwrthdrawiad gyda merch Almaenig ddeniadol. Y ddau ohonom yn mynd i mewn i luwch eira dwfn, a minnau'n cael difrod drwg i fy mhen-glin chwith, a mynd i sgïo'r diwrnod wedyn, oedd erbyn meddwl yn gamgymeriad mawr! Tua blwyddyn yn ddiweddarach ces fy nghynghori i gael pen-glin newydd, ac mae hwnnw wedi fy ngwasanaethu'n dda am dros ugain mlynedd erbyn hyn. Ar y pryd dywedodd Meg 'Dim mwy o sgïo i ti, fachgen! Y tro nesaf, mi wnei di niwed i'r cymal neu rywbeth gwaeth.' Felly golff oedd hi o hynny ymlaen, a cherdded y bryniau a physgota.

***

Yn y dyddiau cynnar hynny doedd Meg a minnau ddim yn gyfoethog – ymhell o fod! Felly, i hel dipyn o fêl i'r cwch, byddwn yn arfer mynd fel yr ail swyddog meddygol ar longau leiner Cunard oedd yn hwylio rhwng Lerpwl ac America. Fel y dywedais yn gynharach, byddai Meg yn gweithio fel nyrs ar gychod Cunard oedd yn hwylio i fyny afon St Lawrence yng Nghanada. Mi wnes i ddysgu llawer am seicoleg pobl ar y mordeithiau cynnar hynny, a hefyd dod i adnabod y dinasoedd mawr ar arfordir dwyreiniol yr Unol Daleithiau.

I symud ymlaen at fater y mae angen ei drin yn ofalus, dim ond ddwywaith erioed rwyf wedi bod yn sâl môr, ac roedd hynny'n ddigon. Y tro cyntaf oedd fel hogyn ysgol ar fferi'n dod yn ôl o daith i Ddulyn. Roedd yn storm, a minnau'n sâl iawn! Roedd yr ail dro'n waeth. Roeddwn i fod i groesi o Lerpwl i Efrog Newydd ar leiner Cunard, y *Carinthia*, yn gweithio fel meddyg y llong. Penderfynodd Meg a minnau fynd i fwynhau pryd o fwyd yn agos at y dociau cyn mynd ar y llong, a minnau'n dewis y cimwch. Tuag at ddiwedd y pryd, sylwodd Meg fod fy wyneb yn goch ac wedi chwyddo. Dyma fynd â mi i'r Liverpool Royal Infirmary i gael pigiadau gwrth-histamin, ac wedyn cerdded yn sigledig i gyrraedd bwrdd y llong. Un o ddyletswyddau meddyg y llong yn gynnar yn ystod y fordaith yw archwilio'r cyflenwadau swmpus o fwyd yn y dec isaf. Daeth swyddog cyflenwi'r llong gyda mi yno. Dyma ddod at fin mawr o flawd ond, o edrych yn fanylach, roedd gwiddon (*weevils*) yn symud ynddo, yn gymysg â'r blawd. Dweud wrth y swyddog cyflenwi bod rhaid i mi fynd i'r dec uchaf ar unwaith, gan fy mod yn teimlo'n sâl. Dywedodd hwnnw wrthyf fynd i'w gaban ef, a dyna wnes i. Rhoddodd wisgi dwbl i mi, ac wedyn roeddwn i'n wirioneddol sâl. Mae'n ddirgelwch sut gwnes i gyflawni fy nyletswyddau yn ystod y fordaith honno, gyda fy wyneb wedi chwyddo gymaint.

Gyda llaw, ar y mater yma, rai blynyddoedd yn ddiweddarach cefais wahoddiad i ddarlithio yn Valencia yn Sbaen. Daeth Meg gyda mi. Aeth y bobl oedd yn gofalu amdanom â ni allan am ginio, lle'r oedd *paella* yn llawn bwyd môr o'n blaenau. Beth gallwn ei wneud? Doeddwn i ddim eisiau pechu'r bobl garedig a ninnau'n westeion iddynt, felly dyma fwyta fy rhan o'r *paella*, gyda Meg yn gwylio'n bryderus. Doedd dim ymateb annifyr. Yn wir, cawsom fwynhau ein pryd a chael *siesta* wedyn. Rwyf yn cymryd fy mod wedi colli'r sensitifrwydd i fwyd môr flynyddoedd yn ôl yn Lerpwl. Y dyddiau hyn, bwyd môr yw fy hoff fwyd.

Roeddwn hefyd yn gweithio o dro i dro fel meddyg teulu locwm yn Lochgilphead yn yr Alban. Un claf y gallaf gofio amdano oedd cyrnol wedi ymddeol o'r fyddin a oedd yn marw o twbercwlosis. Roedd merch brydferth yn ei nyrsio. Dywedais wrtho ei fod yn ffodus iawn. A'i ateb oedd 'Fachgen, taswn i'n stopio edmygu'r ffurf fenywaidd, waeth i mi fod wedi marw.' Claf arall oedd boneddiges oedrannus roedd ei gŵr unwaith yn berchennog ar y car Morris Cowley cyntaf yn yr Alban, ac yn gyfaill i'r Arglwydd Nuffield.

Yr adeg honno, mi wnes i ddysgu os bydd meddyg yn cymryd amser i sgwrsio gyda chleifion, bod modd cael atebion sy'n achosi syndod – rhai'n drist, rhai'n ddoniol. Er enghraifft, gofynnwyd unwaith i mi weld ffermwr o orllewin Cymru, a ddaeth i mewn gyda phoen yn ei glun. Yn ystod y drafodaeth gofynnais iddo beth oedd ei anabledd mwyaf. A'i ateb oedd 'Doctor bach, mae fel hyn, pan fydd y musus a minnau yn y gwely, fedrwn ni ddim mwynhau ein hunain gan fod y cymal yma'n rhy boenus.' A minnau'n ateb y byddai modd i mi iacháu hynny. Cafodd iachâd trwy gael cymal newydd. Rai wythnosau'n ddiweddarach, pan ddaeth yn ôl dywedodd fod y boen wedi mynd ond pan fyddai yn y gwely gyda'i wraig fod yr 'awydd' wedi mynd hefyd. Cydymdeimlais ag ef. Rai misoedd yn ddiweddarach daeth i'm gweld eto, a dweud gyda gwên fawr, 'Doctor bach, mae'r "awydd" wedi dod yn ôl a ninnau'n cael mwynhau mynd i'r gwely.' Mae cleifion wedi datgelu gymaint o gyfrinachau, ond bydd y rhan fwyaf wedi'u cadw dan glo ym mhen y meddyg, yn ddiogel rhag bod yn gyhoeddus.

***

Fe wnaeth Meg geisio meistroli'r Gymraeg, ond teimlai fod y gramadeg yn anodd. Roeddwn i'n mynnu bod ein plant, Gilly a Dai, yn mynd i ysgol Gymraeg. Aeth y ddau i Ysgol Gynradd Bod Alaw, Bae Colwyn, ac wedyn aeth Dai i Ysgol Heron Waters ger Betws yn Rhos ac ymlaen i Rydal Penrhos. Dim ond i fechgyn roedd y ddwy ysgol hynny ar yr adeg honno. Aeth Gilly i Ysgol Lyndon ym Mae Colwyn ac wedyn Ysgol Enethod Howell's yn Ninbych, sydd yn anffodus wedi cau erbyn hyn. Treuliodd Gilly flwyddyn yn ddiweddarach mewn ysgol berffeithio yn Châtelard yn y Swistir yn gwneud lefel A.

Aeth Gilly i hyfforddi fel ysgrifenyddes ac wedyn dod yn nyrs yn Llundain. Cyfarfyddodd â'i darpar ŵr, David Montgomery, yng Ngwlad Groeg. Bu'r ddau'n hwylio'r moroedd mawr fel criw ar iotiau mawr am bum mlynedd cyn setlo i lawr ymhen amser i fywyd priodasol, gan fyw yn gyntaf yn Nhalgarreg, canolbarth Cymru, ac wedyn yng Ngwlad yr Haf. Mae ganddynt ddau o blant, Owen a Huw.

Aeth Dai i Brifysgol Nottingham. Enillodd gymwysterau fel syrfëwr siartredig a sefydlu cwmni llewyrchus yn Stamford, Swydd Lincoln. Mae ganddo ef a'i wraig Heather dri bachgen, Gareth, Robert a Rhys.

Mae Gilly a Dai yn deall Cymraeg pan fydd yn cael ei siarad, ond yn swil o'i siarad eu hunain yn gyhoeddus. Mae'n syndod i mi bod y ddau erbyn hyn wedi cyrraedd oed ymddeol. Rwyf yn hynod o ffodus i gael teulu sydd mor dyner a gofalgar, gyda Gilly a Heather a'u bechgyn yn fy nghadw mewn trefn!

Yn y cyfamser, fe wnes i golli fy Meg bedair blynedd yn ôl yn dilyn salwch hir y bydd rhai'n ei alw'n 'lladdwr dirgel', sef canser yr ofari. Fe wnaeth hi ddygymod â'i salwch gyda nerth, urddas a dewrder mawr hyd at y diwedd, a chadw craidd ei phersonoliaeth hefyd. Felly daeth diwedd ar ein partneriaeth o drigain ac un o flynyddoedd. Byddaf yn ei cholli'n fawr iawn. Ond rwyf yn ffodus bod pedwar o bobl o'm cwmpas, Ros, Ali, Julie a Mark, i'm cadw'n gyfforddus.

Yn ddiweddar, ar ôl i mi golli Meg, cefais fy mherswadio gan fy nghefnder Barry a'i wraig Ann i ddilyn taith Charles Darwin ar y *Beagle* o gwmpas yr Horn ac wedyn tua'r gogledd i Beriw. Dyna daith lesol! Cawsom ymweld â Thŷ Gwyn, y bwyty Cymreig yn y Gaiman, Patagonia, ac, wrth wrando ar gôr meibion Cymreig, siarad Cymraeg gyda'r bobl oedd yn ein croesawu yno, dros baned o de a theisennau cri. Daeth eu merch ar ymweliad â gogledd Cymru'n ddiweddarach, i wella'i gwybodaeth am fywyd Cymru.

Ar yr un daith, cawsom alw heibio Port Stanley, gyda'r bwriad o osod torchau ar feddau'r milwyr Cymreig yn Goose Green, ond yn anffodus roedd y tywydd yn rhy arw. Felly dyma daflu'r torchau i'r môr, gyda'r tri pherson yn cynnal y gwasanaeth ar y llong a thalu teyrnged briodol.

16

Dilyn achau'r teulu

WRTH I'R BLYNYDDOEDD ddirwyn ymlaen, bydd rhywun yn mynd i feddwl mwy am ei hynafiaid o adegau ymhell yn ôl mewn hanes. Felly rydym ni'n falch bod Gilly a'i chyfaill Mel, sy'n olrhain achau pobl fel proffesiwn, wedi bod yn edrych ar ein teulu ni, gyda chymorth yr Athro Ceiri Gruffydd a'i wraig Anne.

Rydym wedi gallu mynd yn ôl i'r bedwaredd ganrif ar ddeg mewn un llinell achau, at Tudur Goch. Ac ymhellach yn ôl ar hyd y llinell honno, i'r nawfed ganrif, at Gilmyn Droed-ddu. Mae pobl fel beirdd a chyfreithwyr wedi'u cofnodi yn hanes y teulu, a hefyd Edmwnd Prys (*c.*1544–1624), oedd yn Archddiacon Meirionnydd ac yn fwyaf adnabyddus am ei gyfieithiad mydryddol o'r Salmau. Mae'r arfbais ar ochr fy mam yn cynnwys troed ddu Cilmyn, Collwyn ap Tangno a Llywarch ap Brân gyda'r tair cigfran.

Mae rhai aelodau o'r teulu ar ochr fy mam wedi byw oes hir, yn cynnwys fy hen nain, Jane Roberts, fu bron â chyrraedd ei phen blwydd yn gant oed. Byddai pobl yn ei hadnabod fel brenhines Cwm Coryn a Bron Miod, Llanaelhaearn, ac mae wedi'i chladdu yn y pentref. Roedd ei merch, Mary, fy nain, yn byw yn Rynys, Llanarmon. Fel plant, byddem ni'n treulio llawer o ddyddiau braf yno, yn dal penbyliaid ac yn mwynhau'r fferm gyda'n modryb Jenny a'i merch Mair.

Roedd fy nhaid, William Hughes, wedi bod i California i gloddio yn y meysydd copr. Erbyn iddo gyrraedd adref roedd yn ddyn reit gyfoethog. Felly prynodd wn llaw, *revolver*, i'w amddiffyn ei hun. Ymhellach ymlaen prynodd ddwy fferm, Pentyrch Isa a Rynys. Roedd o'n aelod brwdfrydig o'r Seiri Rhyddion yn y Penrhyn Lodge, California.

Ymhellach i lawr yn llinach y teulu, roedd fy ewythr David yn gapten llong cyn yr Ail Ryfel Byd. Wedyn cafodd ei recriwtio i'r fyddin a bu'n gweithio yn nyfnderoedd Palas Westminster, yn yr adran cyfathrebu cyfrinachol. Yn anffodus, cafodd TB cyn bod modd defnyddio *streptomycin* i achub ei fywyd. A hefyd yn anffodus, bu ei wraig Molly, oedd yn arbennig o brydferth, farw o ganser yr ofari, a gadawodd hynny fy nghefnder Barry yn unig blentyn; roedd ei frawd Roy wedi marw'n gynharach. Roedd ei dad, fy ewythr David, pan oedd yn fyw, wedi bod yn dipyn o athronydd a daeth i fwthyn Tyn y Morfa yng Nglanllynnau i fyw ar ei ben ei hun wrth geg afon Dwyfor. Felly pan fu ei ddau riant farw'n ifanc roedd yn naturiol i Barry ddod yn ffefryn i'r teulu estynedig, yn cynnwys fi. Aeth i'r ysgol ym Mhenmaenmawr ac wedyn i Ysgol Bloxham, Swydd Rhydychen. Aeth i'r fyddin ymhellach ymlaen ac wedyn i wneud hyfforddiant amaeth yn Northumberland, ger man geni Meg, ac ar ôl hynny yn Llysfasi, Rhuthun. Fe setlodd ymhen amser yn y diwydiant olew. Yn Llanrwst y gwnaeth Barry gyfarfod ei wraig hyfryd, Ann, lle'r oedd hi'n gweini tu ôl i'r bar yng Ngwesty'r Eryrod. Cafodd y ddau fwynhau bywyd priodasol gyda'i gilydd, yn gweithio'n galed, a chael merch o'r enw Amanda. Yn anffodus collodd Barry ei wraig Ann yn sydyn, flwyddyn ar ôl i mi golli Meg. Mae Barry a minnau wedi dod yn gyfeillion agosach fyth ers colli ein gwragedd. Bydd yn aml yn dweud wrthyf fy mod o gymorth yn gofalu amdano pan oedd o'n blentyn, a rŵan ei fod o'n gofalu amdanaf fi yn fy henaint!

O ran fy nheulu agosaf, mae fy mrawd Bill yn hapus briod gyda Beryl, y ddau'n benseiri ac artistiaid talentog. Mae eu mab John yn feddyg, a chanddo bump o blant. Mae gan eu merch Helen dair merch hyfryd, ac un ohonynt, Grace, yn bwriadu mynd yn feddyg. Mae hi wedi dechrau astudio ym Mhrifysgol Newcastle. Felly bydd y traddodiad meddygol yn parhau yn y teulu.

Yn anffodus, bu fy chwaer annwyl Bet farw yn ddiweddar ar ôl blynyddoedd o salwch, gan adael ei gŵr Hywel a dwy ferch, Lowri Ann, actores, a Morfudd, sy'n cadw bwyty. Roedd fy mrawd Gruff wedi marw'n ifanc, gan adael ei wraig Gwen ac un ferch, Jill, sy'n briod â Tim. Mae gan y ddau olaf yma ddau fab, sef Dan a Luke.

Rwyf wedi fy mendithio i gael teulu estynedig

agos: plant fy nghyfnither Mair, sef Rhian a Gwenllian; y cefndryd o Glynnog, ac un ohonynt ydi Wil Roberts fydd yn fy ngalw'n 'The Godfather' oherwydd, dwi'n credu, mai fi ydi'r hynaf o'r tylwyth erbyn hyn. Yr aelodau eraill hoff o'r teulu ydi teulu Môn: Peter, Margaret, John, Mary ac Anne, a'u plant nhw.

17

Profiadau lletchwith

MAE'N RHAID BOD y rhan fwyaf ohonom wedi cael profiadau annisgwyl a lletchwith yn ein bywydau. Rwyf am sôn am dri o'r profiadau hyn yr wyf i wedi'u cael.

Roedd fy merch Gwyneth yn tyfu i fyny'n gyflym. Ar ddechrau ei harddegau, dywedodd Meg wrthyf: 'Mae'n amser i ti sôn wrth Gilly am ffeithiau bywyd!' Roedd Meg wedi osgoi'r mater, ac nid oeddwn i wedi arfer â'r math hyn o beth. Yn y pen draw, es amdani, gan esbonio anatomi'r organau rhyw a'r mathau eraill o ymddygiad dynol, ond torrodd Gilly ar fy nhraws, 'Dad, dwi'n gwybod popeth amdano!' Wel, am ryddhad i Dad druan. Dyma'r oes pan nad oedd addysg rhyw yn rhan o gwricwlwm yr ysgol.

Flynyddoedd lawer yn ddiweddarach, yn Lerpwl, cefais fy rhoi dan bwysau unwaith eto, a bu'n rhaid i mi feddwl yn gyflym. Roeddem yn diddanu archwilwyr myfyrwyr israddedig a oedd yn ymweld â ni mewn cinio yn Sgwâr Abercrombie. Ar ôl gadael y cinio, cafodd un o'm cyd-weithwyr, uwchddarlithydd mewn llawfeddygaeth gyffredinol ar y pryd, Alf Cushieri, ddamwain car pan yrrodd i mewn i gefn car heddlu. Ar ôl cael ei dderbyn i'r

Liverpool Royal Infirmary, roedd amheuaeth ei fod wedi cael niwed i'w iau, wedi torri ei ffêr a'i arddwrn, ac wedi tynnu ei glun dde o'i lle a'r forddwyd dde ar yr un ochr. Roeddwn eisoes wedi mynd adref ond cefais fy neffro gan fy nghofrestrydd a ddywedodd fod yr heddlu eisiau cymryd sampl o waed fy nghlaf er mwyn mesur lefelau alcohol. Felly, cefais fy rhoi mewn sefyllfa anodd iawn yn annisgwyl ac yn ddirybudd. Dywedais wrth yr heddlu bod fy nghlaf wedi colli llawer gormod o waed yn barod, a'i fod yn ddifrifol wael. Er mawr glod iddynt, mi gymerodd yr heddlu gam yn ôl.

Bûm yn trin y claf drwy'r nos ond, unwaith eto, cefais fy hun yn teimlo cywilydd am na allwn leihau cymal y glun. Dysgais wers newydd, gan i mi sefydlogi asgwrn y glun a oedd wedi torri gyda hoelen hir. Felly, gyda'r lifer hwn, roedd yn hawdd lleihau'r glun. Bûm yn monitro'r glun am flynyddoedd, ac erbyn hynny roedd Alf wedi'i benodi yn athro yn Dundee, yr Alban, ac yn ennill clod ar draws y byd ym maes trawsblannu iau. Diwedd hapus i'r stori.

Fy nhrydydd digwyddiad lletchwith oedd yn Ysbyty Irwin yn Delhi Newydd, India. Tra oeddwn yn ymweld ag un o'm cyn-fyfyrwyr, cefais fy narbwyllo ganddi i wneud llawdriniaeth ar fachgen ifanc gyda chrymedd yr asgwrn cefn. Roeddwn yn ansicr beth i'w wneud, ond roedd fy nghyn-fyfyriwr yn ferch benderfynol iawn. Hanner ffordd trwy'r llawdriniaeth, pan oedd asgwrn cefn y plentyn wedi'i amlygu'n llwyr, fe aeth goleuadau trydan y theatr i ffwrdd – roeddem mewn tywyllwch llwyr ar wahân i olau un gannwyll unig. Bu'n rhaid i mi bacio'r clwyf mawr ac aros ar bigau'r drain am dros awr i'r goleuadau ddychwelyd. Roedd yn awr ddirdynnol i mi. Fe wnes addewid i mi fy hun na fyddwn byth eto yn ymgymryd â llawdriniaeth mor gymhleth y tu allan i fy nghanolfan fy hun yn y DU.

Fel llawfeddygon, rydym yn credu ein bod yn ddi-feth, ond roedd aelodau o Glwb yr Efail yn Hen Golwyn yn credu fel arall, yn cynnwys fy hen gyfaill Meirion Roberts. Roedd yn gartwnydd ac yn artist adnabyddus. Er difyrrwch mawr i'r aelodau, fe gyflwynodd gartŵn o un o'm cleifion yn deffro ar ôl llawdriniaeth i ganfod fy mod wedi rhoi ei goesau yn ôl yn wynebu'r ffordd anghywir. Wel, sôn am ergyd i hyder rhywun! Roedd gan Meirion allu arbennig. Bu'n peintio mapiau am flynyddoedd lawer, mapiau a oedd yn dehongli hanes lleol ardaloedd lle byddai'r Eisteddfod Genedlaethol yn cael ei chynnal. Mae llawer o'i waith yn parhau i hongian ar waliau cartrefi Cymru.

18
Cymru – fy nghartref

MAE'N DEBYG FY mod yn ystyried fy hun yn Gymro yn gyntaf ac yn Brydeiniwr yn ail. Iaith yr aelwyd oedd Cymraeg bob amser, gyda'r Saesneg yn sleifio i mewn yn yr ysgol ramadeg ac yn y brifysgol yn ddiweddarach. 'Tecach fro, bro fy mebyd.' Bu i eisteddfodau lleol a chenedlaethol, yr Urdd, yr Ysgol Sul yn Engedi a llawer mwy ddylanwadu ar fy mlynyddoedd cynnar, ac mae pob un o'r rhain wedi gadael ôl parhaol ar fy mywyd. Felly yn naturiol, dros amser, mae fy niddordeb mewn materion Cymreig wedi datblygu.

Er gwaethaf fy ngwybodaeth gyfyngedig o nodweddion cymhleth cerddoriaeth, a dim syniad bron o sut i greu englyn, rwyf wrth fy modd yn gwrando ar gantorion yn canu aria neu benillion. Yr wyf hyd yn oed wedi bod yn gadeirydd dau o gorau meibion ac mae'n rhaid i mi ddweud, gyda phob gwyleidd-dra, fy mod wedi derbyn yr anrhydedd o gael gwisgo'r wisg wen yng Ngorsedd y Beirdd yn yr Eisteddfod Genedlaethol. Rwyf yn aelod o Gymdeithas Anrhydeddus y Cymmrodorion ers cryn amser ac yn aelod o nifer o gymdeithasau hanes Cymreig, yn cynnwys Clwb yr Efail y soniais amdano ynghynt; hefyd Cymdeithas Athronyddol Trefnant

Prifysgol Bangor. Yr wyf hefyd wedi gwasanaethu fel llywydd y Gymdeithas Feddygol Gymraeg, ac yr wyf yn parhau i gefnogi'r gymdeithas hon.

Yr wyf hefyd yn cefnogi Ymgyrch Diogelu Cymru Wledig a Chymdeithas Ddinesig Colwyn, ac yn gyfrifol am ganfod siaradwyr gwadd ar gyfer digwyddiadau'r gymdeithas. Rwyf wedi gwasanaethu fel llywydd Cymdeithas Hanes a Meddygaeth Cymru, sy'n cael cefnogaeth gan y meddygon amhrisiadwy Peter a Margaret Jones.

Ar yr ochr broffesiynol, bûm yn gwasanaethu am bedair blynedd fel yr Ombwdsmon Meddygaeth, yn delio â chŵynion yng Nghymru. Fel y nodais, cefais fy ethol yn gadeirydd cyntaf Bwrdd Cymru Coleg Brenhinol y Llawfeddygon yn Lloegr. Roeddwn yn gyd-sylfaenydd Cymdeithas Orthopedig Cymru a derbyniais yr anrhydedd o gael darlith wedi'i henwi ar fy ôl.

Bu Meg a minnau'n byw yn ardal Bae Colwyn am flynyddoedd lawer a buom yn gwasanaethu'r gymuned yn Abergele a Chroesoswallt ar y gororau. Cynhaliais glinigau cyn belled â Dolgellau, Tywyn a'r Trallwng. Mae wedi bod yn anrhydedd mawr iawn i mi gael gwasanaethu fy nghyd-wladwyr. Felly, ar y cyfan, credaf fod gennyf hawl i gael fy ngalw'n Gymro. Yr unig beth sy'n fy nhristáu, wrth edrych ar y sefyllfa bresennol yn fy ngwlad, yw'r ffaith bod ein heniaith yn wynebu cymaint o fygythiad. Gobeithio y daw tro ar fyd! 'Cenedl heb iaith, cenedl heb galon.'

19

Yn olaf...

WRTH I MI agosáu at ddiwedd fy nhaith, rwy'n ymwybodol iawn bod cymaint o fy atgofion yn parhau wedi'u cuddio y tu ôl i len bywyd. Ond rwy'n gobeithio bod y rhai yr wyf wedi'u datgelu wedi bod yn ddiddorol a hyd yn oed yn ddifyr.

Hoffwn eich gadael gydag ambell hanesyn.

Rydym yn ymuno â'r byd hwn a byrhoedlog iawn yw ein harhosiad yma ar y ddaear. Hefyd, rydym yn byw ar blaned sy'n eithriadol o fach o'i chymharu â'r bydysawd mawr. Felly, rydym yn hollol ddi-nod. Ond, yn ein cylch bach ni ein hunain, rydym yn ymdrechu i wneud cyfraniad bychan, gwneud ffrindiau a cheisio gwneud y byd yma'n lle hapusach ar gyfer y genhedlaeth nesaf, er gwaethaf yr holl wrthdaro a rhyfeloedd. Mae'n sicr yn berwyl anodd.

Yn fy nghylch fy hunan, mae bywyd wedi bod yn garedig i mi ac, fel llawfeddyg, rwyf wedi ceisio gwneud bywyd fy nghyd-ddyn yn haws ei oddef. Gwyn eu byd y rhai sy'n dod â heulwen i fywydau eraill.

A oes gennyf unrhyw ddymuniadau eraill i'w gwireddu? Oes, llawer, wrth edrych yn ôl.

Byddwn wrth fy modd yn cael gwneud y canlynol eto:

– Cerdded ar hyd Clawdd Offa gyda chyfeillion
– Beicio o Lundain i Lanystumdwy
– Cerdded i fyny Moel Siabod gyda fy staff
– Sgïo yn y mynyddoedd a chrwydro Mynyddoedd yr Himalaya
– Nofio yn y môr ger Tyn Morfa.

A llawer mwy ond, yn anffodus, ni fyddai'r hen gyhyrau'n caniatáu'r pleserau hyn i mi yn awr. Yn hytrach, rwy'n fodlon breuddwydio a hel atgofion.

A ddysgais unrhyw wersi? Do, llawer iawn...

Er enghraifft, bod yn wylaidd a sylweddoli mai bodau dynol ydym: oherwydd bod bywyd dynol mor fyr (fel y dywedodd yr athronydd Groegaidd Socrates), y gelfyddyd mor hir i'w dysgu, y cyfleoedd mor fyrhoedlog a chraffter mor anodd.

Does neb yn rhy hen i ddysgu. Byw i eraill yw byw'n iawn; mae'n gwneud y byd yn lle gwell i fyw ynddo.

Fel y dywedodd Gerallt Gymro ym 1188, mae amgylchiadau a syniadau newydd yn effeithio ar ddyn, gan adlewyrchu patrymau ein bywydau. Mae hynny yr un mor wir heddiw.

Yn olaf, fel llawfeddyg, fel y cawn ein hatgoffa gan William Clowes yr hynaf (*c*.1544–1604), dylai fod gennym galon llew, llaw boneddiges, llygad barcud, ond hefyd gwerthfawrogiad o deimladau a phryderon cleifion.

Ac felly, ar ddiwedd y dydd, bydd beddargraff

Meg a minnau, fel nyrs a doctor, yn datgan: 'Ein nod oedd rhoi cymorth i eraill.'

A dyna ddiwedd hanes fy mywyd.

20

Sylwadau gan gymdeithion hoff

Fy ffrind 'Bob'

Bydd cyfeillgarwch yn aml yn cael ei gadarnhau ar adegau anodd, ac felly y daeth yr Athro Robert Owen i fod yn gyfaill i'r teulu. Ar ddechrau'r 1970au fe gafodd ein mab ei gyfeirio ato am fod ganddo drafferth gyda'i asgwrn cefn. Roedd honno'n daith aeth â ni o Ysbyty Abergele a Gobowen ac yn y pen draw i Ysbyty'r Plant yn Alder Hey. Roedd y daith yn un llawn pryder, gofid a hefyd gobaith, ac un ddaeth â chyfeillion newydd i ni, yn rhannu gwahanol brofiadau a dysgu sut i wrando ar bryderon pobl eraill. Taith yn llawn gobaith ac anobaith.

Byddaf yn cofio am byth sut yr oedd Robert Owen yn ysgwyd llaw mor gadarn y tro cyntaf i mi ei gyfarfod. Roedd yn ddyn tal, onglog, gyda gwên gynnes a fflyd o fyfyrwyr meddygol ifanc yn ei ddilyn. Cyfarchodd ni yn Gymraeg, ac mi wnaeth hynny'n sicr gynyddu ein hyder a'n hymddiriedaeth ynddo. Roedd yn sicr yn gwybod sut i siarad gyda bachgen ifanc. Trwy'r holl flynyddoedd mae wedi parhau i falio amdanom, a hyd heddiw bydd bob tro'n holi am iechyd ein mab a lle mae o erbyn hyn, yn ogystal â holi am weddill ein teulu. Bydd pob un ohonom yn trysori am byth y geiriau caredig a gonest a ddywedodd adeg angladd fy ngwraig.

A rŵan, ar ôl yr holl flynyddoedd, mae'n fraint cael ei alw'n 'Bob', rhannu adegau min nos a chyfarfodydd cymdeithasau lle mae gennym ddiddordebau tebyg, cael ein gwahodd i'w barti pen blwydd arbennig, a chael sgwrs dros baned o goffi a bara brith. Mae'n anrhydedd i mi gael fy nghyfrif fel un o'i lu o gyfeillion, a bod wedi rhannu rhan o daith bywyd gydag ef.

John Gruffydd Jones

Fy nghefnder yr athro

Ers pan oeddwn yn blentyn, mi wyddwn fod gen i gefnder pwysig.

Roedd yn wych cael gwrando ar aelodau o'r teulu'n trafod y pethau arbennig roedd o wedi'u cyflawni, a bod rhywfaint o'i enw da yn adlewyrchu arnaf fi. Byddai pobl yn ei alw'n Robert Owen, ond yn y ffurf ffonetig gyfeillgar 'Robat Ŵan', ddim byth yn 'Bob'.

Roedd dipyn o ddirgelwch ynglŷn â fo, a pharch tuag ato fo, ac wedyn dyma'n llwybrau ni'n croesi wrth i'r ddau ohonom weithio yn Ysbyty'r Plant, Alder Hey, ac mae'r parch tuag ato'n parhau hyd heddiw.

Rydan ni'n deulu mawr, ac mi wnes i ddechrau galw R.O. yn 'The Godfather' neu 'Don Corleone', sy'n rôl sydd wedi'i gwneud yn arbennig ar ei gyfer.

Bydd y teulu'n parhau i ofyn ei farn ar faterion meddygol yn ogystal â domestig. Byddaf yn aml yn clywed pobl yn dweud gyda pharch, 'Mae Robert Owen yn dweud…'

Rydan ni yn y bôn yn griw o Eifionydd ac mae R.O. yn mwynhau'n fawr y naws am le, y cynefin; mae ei wreiddiau'n ddwfn ac yn gadarn.

Yn ddiweddar, dyma ni'n mynd ar bererindod o gwmpas gwahanol ffermydd oedd unwaith yn y teulu: Cwm Coryn, Bron Miod, Pentyrch ac, wrth gwrs, Glanllynnau.

Roedd yn ddiwrnod pleserus o chwilio mewn hen sguboriau, ailddarganfod llwybrau troed, hen gapeli a phyllau afon addawol. Roedd ei frwdfrydedd a'i bleser yn heintus. Mae benthyg ychydig linellau oddi wrth y bardd R. Williams Parry yn crynhoi hyn yn berffaith: 'Mae yno flas y cynfyd yn aros fel hen win…'

Wil Roberts

Atgofion am Robert Owen

Rwyf wedi adnabod Bob Owen ers tua 1980. Ar yr adeg honno roeddwn yn canfod fy ffordd o gwmpas fel ymgynghorydd meddygol ifanc ym Mangor a Chroesoswallt. Roedd o'n Athro yn Lerpwl, ac wedi bod yn rhoi gwasanaeth rhagorol yn y Rhyl a Chroesoswallt cyn hynny. Gyda'i wreiddiau Cymreig yng Ngwynedd a'r enw mor arbennig o dda oedd ganddo yn Lerpwl, roedd yn naturiol y câi ei ystyried y 'Prif Un' pan oedd angen barn neu ail farn i'r bobl lawer a deithiodd ar hyd yr arfordir i'w ystafelloedd yn Rodney Street. Rydw i'n credu bod hefyd ward Gymreig yn y Royal Infirmary yn Lerpwl i'r rhai oedd yn dymuno neu'n cael eu cynghori i gael triniaeth yno. Doedd hyn oll ddim yn bryder i mi, ac rydw i'n dal i gredu ei bod yn beth iach i gleifion, a'r ymgynghorwyr ifanc yn enwedig, gael ail farn. Wedi'r cyfan, mae angen i'r claf a'r llawfeddyg gael hyder yn y driniaeth sy'n cael ei hargymell.

Roeddwn yn ffodus i fod o gwmpas ar adeg twf yr ysbytai cyffredinol dosbarth, a gyda seiliau cadarn o Ysbyty Môn ac Arfon ac Ysbyty Eryri, Caernarfon, dyma ni'n symud i Ysbyty Gwynedd. Yno roedd cyfleusterau ardderchog a thimau gwych o bobl i wneud y gwaith. Wrth i ni gael enw cymedrol o dda am ein gwaith, byddwn yn cael gwybod yn rheolaidd sut roedd Bob yn dod ymlaen, oddi wrth 'gefnder Cymreig' sef Wil Roberts, fy nghyd-weithiwr uchel ei barch mewn anaestheteg, a chyfaill ers dod i Fangor. Mae sut i ddiffinio 'cefnder Cymreig' yn dal yn ddirgelwch i mi, a hefyd diffinio'r math o rwydwaith ddirgel a dylanwadol maen nhw'n ei ffurfio, ryw fath o fersiwn cyfeillgar o'r rhwydweithiau yn Sicilia.

Beth bynnag, dyma fi'n dod ymlaen yn fy ngyrfa a Bob yn ei yrfa fo, ond roedd o gymaint yn uwch i fyny yn y gadwyn fwyd nag oeddwn i. Roedd Bob, wedi'r cyfan, yn Athro yn Lerpwl ac yn aelod gweithredol o Gyngor Coleg Brenhinol Llawfeddygon Lloegr.

Y tro cyntaf i mi ei gyfarfod oedd pan ofynnodd i mi roi darlith yn Lerpwl ar ddamweiniau ym mynyddoedd Eryri. Daeth i fy nghyfarfod yn ei gar Porsche, a datod ei hun o'r car, peiriant oedd yn gorfodi dyn o'i daldra fo i wasgu i mewn yn rhyfeddol i ffitio i sedd y gyrrwr. Ond pwy oeddwn innau i siarad? Roedd gen i MGB Roadster melyn (ail-law) oedd yn aml yn her i fynd i mewn ac allan ohono. Ar ôl y ddarlith, dyma gael mynd i'r fan lle'r oedd Bob yn byw, yn Hoylake, cyfarfod Meg a threulio min nos dymunol yno. Wedyn roeddwn i'n rhan o gymdeithas Bob, oedd yn cynnwys llawfeddygaeth orthopedig, dysgu, gwasanaeth gwirfoddol, gweithgareddau'r Coleg Brenhinol yn genedlaethol a rhyngwladol, orthopedeg Gymreig, digwyddiadau cymdeithasol, yn enwedig cerdded mynyddoedd a golff, prydau bwyd llawen ac, yn ddiweddarach, hanes meddygaeth.

Am lawer o flynyddoedd, rydw i wedi cael galwadau ffôn yn rheolaidd, sy'n dechrau gyda: 'Helo! Bob sydd yma! Rŵan, fachgen, mae gen i dri pheth i'w trafod...'; a gallai'r rheiny fod yn unrhyw un o'r rhestr uchod.

Felly, sut mae modd crynhoi beth mae Bob wedi'i gyflawni yn ystod ei oes hir a chynhyrchiol? Yn gyntaf, ar yr ochr glinigol a dyngarol, fe roddodd wasanaeth gwych i'w gleifion, ac yn ogystal â'i sgiliau clinigol ac fel llawfeddyg ar achosion arbennig o anodd roedd yn ystyriol iawn o les ei gleifion a'i gyd-weithwyr. Enghraifft o'i ofal am gleifion oedd mai ef oedd yn gyrru'r syniad ymlaen o gael tŷ yn Lerpwl fel canolfan i berthnasau'r bobl oedd yn cael llawdriniaeth fawr yn Ysbyty Broadgreen. Mae'n briodol iawn bod y tŷ wedi ei enwi'n Robert Owen House. O ran ei gyd-weithwyr, y gair gorau i'w ddisgrifio ydi 'cynhwysol'. Byddai'n hyfforddi a mentora llawer o lawfeddygon orthopedig ifanc o bob rhan o'r byd. Ac roedd gwerth y tîm llawfeddygol cyfan yn cael ei gydnabod trwy weithgareddau fel y teithiau cerdded blynyddol yn Eryri, a chefais innau wahoddiad i ymuno â sawl un o'r rheiny. Mae'r bobl y gwnaeth ef eu hyfforddi erbyn hyn yn uwch lawfeddygon yn eu swyddi eu hunain; mae gan Bob wahoddiad i ymweld â chartrefi pobl ar draws y byd, a dros y blynyddoedd mae llawer o ymweliadau, y naill am y llall, wedi digwydd rhwng Bob a'i braidd. Yn ystod ei amser fel Athro yn Lerpwl, roedd ei gefnogaeth frwdfrydig i'r cwrs MCh Orth o gymorth i gynnal y cymhwyster fel un roedd parch iddo yn fyd-eang. Mae o wedi cyhoeddi'n eang trwy bapurau a llyfrau, wedi gweithio fel aelod o fwrdd cyfnodolyn orthopedig y mae parch mawr iddo, a chyflwyno nifer fawr o ddarlithoedd o dan yr un enw ag ef ei hun. Ar lefel genedlaethol, cafodd ei dalentau eu cydnabod trwy gael swydd uchel yng Ngholeg Brenhinol y Llawfeddygon a Chymdeithas Orthopedig Prydain a llywyddiaeth nifer o gymdeithasau proffesiynol. Roedd yn bleser arbennig bod yn gweithio gydag ef a Rowland Hughes ar adeg sefydlu Cymdeithas Orthopedig Cymru ac yn ystod ei blynyddoedd cynnar.

Ac fel pe bai hynny ddim yn ddigon, mae hefyd

yn gweithio ar nifer o bethau eraill. Mae wedi rhoi gwasanaeth arbennig i lawer o wledydd sy'n datblygu, ar draws y byd, trwy wneud ymweliadau ymarferol, fel cynrychiolydd ac i addysgu. Mae ei ddiddordeb ym maes anabledd ymysg pobl ifanc yng Nghymru wedi arwain at gael ei benodi fel ymddiriedolwr neu ymgynghorydd i nifer o gyrff elusennol, yn cynorthwyo plant sy'n anabl neu'n wael. O ran materion Cymreig yn benodol, mae wedi bod yn Ddirprwy Lefftenant Clwyd, Ombwdsmon Meddygol Cymru ac Aelod o Orsedd y Beirdd ac Anrhydeddus Gymdeithas y Cymmrodorion.

Os byddwn yn ychwanegu at hyn oll ei hobïau o deithio, saethu, pysgota, golff o ryw fath, cerdded, teulu a chyfeillion, mae modd gweld pa mor gyfoethog a chyflawn mae ei fywyd wedi bod hyd yma.

Yn wir, er ei fod braidd yn fregus y dyddiau yma, mae'n dal yn ddiflino, bydd fy ffôn yn dal i ganu ac yntau'n parhau i gynllunio anturiaethau pellach a digwyddiadau hwyliog.

David Jones

Atodiad

Llinell Amser yr Awdur

M.B.B.S (Prifysgol Llundain, Ebrill 1946)

Gwasanaeth yn yr Awyrlu Brenhinol (asgell-gomander gweithredol, llawfeddyg, 1947–50)

Priodas â Margaret I. (Cluny) Brown (Tachwedd 1949)

F.R.C.S. (Lloegr, 1951)

Hyfforddiant llawfeddygol (Lerpwl, 1951–2)

M.Ch. (Orth.) Lerpwl (1953, yn cynnwys Gwobr y Cyfarwyddwr)

Coleg Llawfeddygon Brasil (anrhydeddwyd yn Rio de Janeiro ym 1953)

Cymrodoriaeth deithio yr Unol Daleithiau, Prydain a Chanada (1959)

ABC Travel's Club (1960)

Cymdeithas Sgoliosis Prydain (llywydd, 1979)

Cymdeithas Asgwrn Cefn Gyddfol Prydain (llywydd, 1981)

Cyngor Coleg Brenhinol Llawfeddygon Lloegr (aelod, 1983–92)

Gwobr Teilyngod A. Plus (Mawrth 1987)

Bwrdd Cymru Coleg Brenhinol Llawfeddygon Lloegr (cadeirydd cyntaf, 1990)

Cyd-sefydlydd Cymdeithas Orthopedig Cymru

D.L. (Gorffennaf 1991)

O.B.E. (Ionawr 1994)

Athro Emeritws Llawfeddygaeth Orthopedig, Prifysgol Lerpwl

Cyhoeddiadau'r Awdur

History of Tuberculosis and Abergele Hospital (1965, cyd-awdur)

Surgery in Rheumatoid Arthritis (1979, cyd-awdur)

Scientific Principles of Orthopaedic Surgery (1980, cyd-awdur)

Surgery of the Human Spine (1985, dwy gyfrol, fel awdur a chyd-olygydd)

Trauma in Children (1988, cyd-awdur)

Awdur neu gyd-awdur tua 130 o erthyglau ac adolygiadau mewn cyfnodolion gwyddonol, gan mwyaf

Aelod o fwrdd golygyddol y *Journal of Bone and Joint Surgery* am wyth mlynedd

Diddordebau Cymreig yr Awdur

Ombwdsmon Meddygol Cymru (1987–92)

Cyn lywydd yr Old Oswestrian Club

Cyn lywydd Cymdeithas Hanes Meddygaeth Cymru

Cyn lywydd Cymdeithas Feddygol Cymru

Is-raglaw Clwyd (ers 1991)

Llywydd presennol yr Amgueddfa Iechyd a Meddygaeth yng Nghymru

Aelod er anrhydedd o Orsedd y Beirdd (gwisg wen)

Aelod o Anrhydeddus Gymdeithas y Cymmrodorion

Aelod o Ymgyrch Diogelu Cymru Wledig

Aelod o Gymdeithas Ddinesig Colwyn

Aelod o Gymdeithas Athronyddol Trefnant, Prifysgol Bangor

Aelod o Glwb yr Efail, Hen Golwyn

Am restr gyflawn o lyfrau'r Lolfa, mynnwch
gopi am ddim o'n catalog
neu hwyliwch i mewn i'n gwefan

www.ylolfa.com

lle gallwch archebu llyfrau ar-lein.

TALYBONT CEREDIGION CYMRU SY24 5HE
ebost ylolfa@ylolfa.com
gwefan www.ylolfa.com
ffôn 01970 832 304
ffacs 832 782